S0-BOM-810

LA CAJA

The Arbinger Institute

La caja

Una entretenida historia
sobre cómo multiplicar
nuestra productividad

EMPRESA ACTIVA

Argentina - Chile - Colombia - España
Estados Unidos - México - Venezuela

Título original: *Leadership and Self-Deception*
Edición original: Berrett-Koehler Publishers, San Francisco
Traducción: José M. Pomares

Reservados todos los derechos. Queda ri-
gurosamente prohibida, sin la autoriza-
ción escrita de los titulares del *copyright*,
bajo las sanciones establecidas en las leyes,
la reproducción parcial o total de esta obra
por cualquier medio o procedimiento, in-
cluidos la reprografía y el tratamiento in-
formático, así como la distribución de
ejemplares mediante alquiler o préstamo
públicos.

© 2000 *by* The Arbinger Institute, Inc.
   www.arbinger.com
© 2000 *by* Ediciones Urano, S. A.
   Aribau, 142, pral. - 08036 Barcelona
   www.empresaactiva.com

ISBN: 978-84-96627-34-5
Depósito legal: B - 39.349 - 2007

Fotocomposición: Ediciones Urano, S. A.
Impreso por NOVOPRINT - C/ de la Técnica s/n
08740 Sant Andreu de la Barca (Barcelona)

Impreso en España - *Printed in Spain*

Índice

Tercera parte: Cómo salimos de la caja

Prefacio

Durante demasiado tiempo, el tema del autoengaño ha sido el dominio de importantes filósofos, académicos y eruditos que trabajan en las principales cuestiones de las ciencias humanas. En general, el público se ha mantenido ignorante del tema. Eso estaría bien si no fuera porque el autoengaño tiene tal poder de penetración que afecta a todos los aspectos de la vida, aunque decir que «afecta» quizá sea un término demasiado suave para describir su enorme influencia. En realidad, el autoengaño determina la propia experiencia en todos los aspectos de la vida. El tema que se aborda en este libro es la extensión en que lo hace y, en particular, hasta qué punto es el tema central en el liderazgo.

Para darle una idea de lo que está en juego, considere la siguiente analogía. Un niño está aprendiendo a gatear. Empieza por moverse hacia atrás por la casa. En busca de puntos donde apoyarse, se introduce por debajo de los muebles. Allí se mueve de un lado a otro, llora y se golpea la cabeza contra los lados y las partes bajas de los muebles. Se queda estancado y detesta la experiencia, así que hace lo único que se le ocurre para salir de donde se ha metido: empuja todavía con más fuerza, lo que no hace sino empeorar el problema. Se queda más estancado que nunca.

Si el niño pudiera hablar, echaría la culpa de sus problemas al mueble. Después de todo, hace todo aquello que se le ocurre. El problema, por tanto, no puede ser suyo. Pero, naturalmente, el problema sí que es suyo, aunque él no pueda verlo así. Si bien es cierto que hace todo lo que se le ocurre, el problema estriba precisamente en que *no puede darse cuenta de que él mismo es el problema*. Por ello, al tener el problema que tiene, nada de lo que se le ocurra será una solución.

El autoengaño funciona así. Nos ciega a la verdad debido a los problemas y, una vez ciegos, todas las «soluciones» que se nos ocurran no harán sino empeorar las cosas. Por eso el autoengaño es tan importante para el liderazgo, porque el liderazgo consiste en mejorar las cosas. En la medida en que nos autoengañamos, nuestro liderazgo se ve socavado a cada paso que damos... y no precisamente debido a la presencia de los muebles.

Hemos escrito este libro para educar a la gente acerca de este importante problema que ha sido, durante demasiado tiempo, terreno exclusivo de los eruditos. Pero este libro trata también de algo más que del problema, porque también existe una solución al autoengaño.

Nuestra experiencia en la enseñanza sobre el autoengaño y su solución es que estos conocimientos les parecen liberadores a la gente. Agudizan la visión, reducen los sentimientos de conflicto, alientan a trabajar en equipo, redoblan el sentido de la responsabilidad, aumentan la capacidad para alcanzar resultados y profundizan el nivel de satisfacción y felicidad. Confiamos en que esta introducción al problema del autoengaño y su solución ofrezca a los lectores nuevas ventajas en todos estos aspectos. Lo que más se necesita en organizaciones tan variadas como empresas comerciales, asociaciones de vecinos y familias son personas que no sólo ejerzan influencia, sino que la ejerzan para bien.

Advertencia

Aunque basado en experiencias reales en nuestro trabajo con organizaciones, ningún personaje u organización descritos en este libro representa a ninguna persona u organización específicas. No obstante, la información que aparece sobre Ignaz Semmelweis es un hecho histórico extraído del libro *Childbed Fever: A Scientific Biography of Ignaz Semmelweis* [Fiebre puerperal: Biografía científica de Ignaz Semmelweis], de K. Codell Carter y Barbara R. Carter (Greenwood Press, Westport, Connecticut, 1994).

PRIMERA PARTE

El autoengaño
y la «caja»

En la oscuridad de sus ojos
es donde se pierden los hombres.

BLACK ELK

1

Bud

*F*ue hace exactamente dos meses cuando entré por primera vez en la apartada sede central de la Zagrum Company, con aires de campus universitario, para someterme a una entrevista para un alto puesto de dirección. Llevaba más de diez años observando a esta empresa desde mi atalaya en una de sus empresas competidoras y ya me había cansado de acabar siempre en segundo puesto. Después de ocho entrevistas y un período de tres semanas de silencio de ellos y dudas propias, me contrataron para dirigir una de las líneas de productos de la Zagrum.

Ahora estaba a punto de experimentar un ritual de la alta dirección peculiar de Zagrum: una reunión personal de todo un día de duración con el vicepresidente ejecutivo, Bud Jefferson. Bud era la mano derecha de Kate Stenarude, la presidenta de Zagrum. Debido a un cambio en el equipo ejecutivo, iba a ser mi nuevo jefe.

Había intentado descubrir el propósito y desarrollo de esta reunión, pero las explicaciones que me dieron mis colegas sólo contribuyeron a confundirme. Mencionaron un descubrimiento que, por lo visto, soluciona «problemas de la gente», comentaron que nadie se centra realmente en los resultados y dijeron algo sobre la «reunión de Bud», como la llamaban, y de que las estrategias que evidentemente se derivaban de ella eran claves para el increíble éxito de Zagrum. No tenía ni la menor idea de lo que me estaban hablando, pero me sentía ansioso por conocer e impresionar a mi nuevo jefe.

Sólo conocía a Bud por su fama. Había estado presente en una conferencia de presentación de producto a la que asistí, pero sin que tomara parte activa en ella. Era un hombre de unos cincuenta años, de aspecto juvenil y una combinación de características singulares un tanto difíciles de encajar: un hombre rico que, sin embargo, se desplazaba en un modesto coche sin tapacubos en las ruedas; alguien que estuvo a punto de abandonar los estudios en la escuela superior, pero que luego se graduó con la máxima calificación en derecho y administración de empresas por Harvard; un experto aficionado en arte que sentía entusiasmo por los Beatles. A pesar de sus aparentes contradicciones y quizá debido en parte a ellas, a Bud casi se le reverenciaba en la empresa como a un icono; como la propia Zagrum, era misterioso pero abierto, enérgico pero humano, cultivado y, no obstante, muy real. En cuanto se preguntaba por él en la empresa, uno se daba cuenta de que todo el mundo lo admiraba.

Tardé diez minutos en recorrer a pie la distancia que me separaba desde mi despacho en el edificio 8 hasta el vestíbulo del edificio central de Zagrum. El sendero, uno de los 23 que conectan los diez edificios de Zagrum, serpenteaba por entre robles y arces junto a orillas del Kate's Creek, un arroyo artificial de postal, creado a instancias de Kate Stenarude, al que los empleados le habían puesto su nombre.

Al subir hasta el tercer piso por la escalera colgante de acero inoxidable del edificio central, revisé mi rendimiento durante el mes que llevaba trabajando en Zagrum: era siempre de los primeros en llegar y de los últimos en marcharme. Tenía la impresión de centrarme en mi trabajo y no permitía que los asuntos ajenos interfiriesen en mis objetivos. Aunque mi esposa se quejaba a menudo por ello, estaba decidido a trabajar más y superar a cualquier colaborador que pudiera competir por conseguir ascensos en los próximos años. No tenía, pues, nada de qué avergonzarme. Estaba preparado para reunirme con Bud Jefferson.

Al llegar al vestíbulo principal del tercer piso, me saludó María, la secretaria de Bud.

—Usted debe de ser Tom Callum —me dijo con entusiasmo.

—Sí, gracias. Tengo una cita con Bud a las nueve —le dije.

—Sí, Bud me pidió que le espere en la sala Este. Estará con usted en unos cinco minutos.

María me acompañó por el vestíbulo y me dejó a solas en una gran sala de conferencias, desde cuyos ventanales admiré las vistas del campus, entre las hojas del verde bosque de Connecticut. Aproximadamente un minuto más tarde, alguien llamó enérgicamente a la puerta y entró Bud.

—Hola, Tom. Gracias por venir —me dijo con una gran sonrisa, al tiempo que me tendía la mano—. Siéntese, por favor. ¿Quiere que le traigan algo de beber? ¿Café, un zumo, quizá?

—No, gracias —contesté—. Ya he tomado mucho esta mañana.

Me instalé en la silla de cuero negro más cercana a donde me encontraba, de espaldas a la ventana, y esperé a que Bud se sirviera un vaso de agua de la jarra que había en la zona de servicio, en el rincón. Regresó hacia mí con el vaso de agua, la jarra y otro vaso vacío. Los dejó sobre la mesa, entre nosotros.

—A veces, las cosas se ponen muy calientes por aquí. Tenemos mucho que hacer esta mañana. Sírvase cuando le apetezca.

—Gracias —balbucí.

Me sentía agradecido por el gesto, pero no muy seguro de la intención que pudiera tener todo aquello.

—Tom —me dijo Bud con brusquedad—, le he pedido que venga hoy por una razón, y es una razón importante.

—Muy bien —asentí inexpresivamente, tratando de contener la ansiedad que sentía.

—Tiene usted un problema, un problema que va a tener que resolver si quiere conseguir algo en Zagrum.

Sentí como si alguien me hubiese pegado una patada en el estómago. Intenté encontrar la palabra o el sonido apropiados, pero mis pensamientos se desbocaron y no encontré las palabras. Fui inmediatamente consciente de los retumbantes latidos de mi corazón y de la sensación de que la sangre desaparecía de mi rostro.

A pesar de todos los éxitos logrados en mi carrera, una de mis debilidades ocultas es que se me puede desequilibrar con facilidad. Había aprendido a compensarlo entrenando los músculos de la cara y los ojos para que se relajasen, de modo que ninguna contracción nerviosa traicionara mi sensación de alarma. Y ahora pareció como si mi cara supiera instintivamente que tenía que desvincularse de lo que hacía mi corazón, para no convertirme en el mismo y acobardado estudiante de tercer grado que se ponía a sudar ansiosamente, confiando en lograr una nota de «bien hecho» cada vez que la señorita Lee devolvía los deberes.

—¿Un problema? —conseguí preguntar—. ¿Qué quiere decir?

—¿Desea saberlo de veras? —replicó Bud.

—No estoy seguro. Pero me parece que necesito saberlo.

—En efecto —asintió Bud—. Lo necesita.

2
Un problema

—*T*iene usted un problema —siguió diciendo Bud—. La gente que trabaja con usted lo sabe, su esposa lo sabe, su suegra lo sabe, y apuesto a que incluso lo saben los vecinos. —Me sonrió cálidamente—. El problema es que *usted* no lo sabe.

Me quedé sin saber qué decir. ¿Cómo podía saber que tenía un problema, si ni siquiera sabía cuál era ese problema?

—Creo que no acabo de entender a qué se refiere. ¿Me está diciendo que… yo…?

No tenía ni la menor idea de lo que me estaba diciendo.

—Bueno —me dijo con una expresión que parecía como si disfrutara con la situación—, piense en los siguientes ejemplos como aperitivo. ¿Recuerda aquella ocasión en que tuvo la oportunidad de llenar el depósito del coche antes de que lo tomara su esposa, pero decidió que ella también podía hacerlo, así que regresó a casa con el depósito casi vacío?

¿Cómo diantres podía él saber eso?, me pregunté.

»¿O aquella otra ocasión en que prometió a los chicos llevarlos a ver el partido, pero se arrepintió en el último momento con una débil excusa porque le surgió algo más atractivo?

Pero ¿cómo podía saber esas cosas?

»¿O la vez en que, en circunstancias similares, llevó a los chicos al partido, pero los hizo sentirse culpables por ello?

Oh, oh.

»¿O la ocasión en que le estaba leyendo un cuento a su hijo pequeño y le engañó pasando dos páginas seguidas, porque estaba impaciente por terminar, y de todos modos confiaba en que él no se daría cuenta?

Sí, pero lo cierto es que no se dio cuenta.

»¿O aquella vez en que aparcó en el espacio reservado para discapacitados y luego, al ver que lo miraban, fingió cojear para que la gente no se pensara que era un aprovechado?

¡Eh, yo nunca he hecho eso!

»¿O cuando hizo lo mismo pero se alejó del coche con aparente y apresurada intencionalidad, para demostrar que el recado que tenía que hacer era tan importante que no le quedaba más remedio que aparcar allí?

Bueno, tengo que admitir que eso sí lo hice alguna vez.

»¿O la vez en que, conduciendo por la noche, el conductor que iba detrás mantuvo encendidas las luces largas, usted lo dejó pasar y le hizo lo mismo?

Bueno, ¿y qué?

»Y si piensa en su estilo en el trabajo —siguió diciendo, ahora ya sin detenerse—, ¿degrada a veces a los demás? ¿Se muestra en ocasiones condenatorio y despectivo con personas que le rodean, desdeñoso ante lo que toma por pereza e incompetencia?

—Supongo que eso puede ser cierto algunas veces —conseguí murmurar. Tenía que admitirlo, puesto que parecía saberlo—. Pero...

—¿O trata de hacer con más frecuencia lo que pueda considerarse como aceptable? —me interrumpió—. ¿Es condescendiente con la gente a su cargo, mostrándole amabilidad y toda esa «blandura» que le parece indicada para lograr que hagan lo que usted desea, aunque en el fondo siga sintiendo desprecio por ellos?

Eso ya lo sentí como un golpe demasiado bajo.

—Me esfuerzo por tratar a mi gente correctamente —protesté.

—Estoy seguro de que es así —asintió—, pero déjeme hacerle una pregunta. ¿Cómo se siente cuando los trata «correctamente», como usted dice? ¿Se diferencia eso en algo de las ocasiones en que ha sido severo y despectivo con ellos? En lo más profundo de usted mismo, ¿existe alguna diferencia?

—No estoy seguro de saber a qué se refiere —repliqué, tratando de ganar tiempo.

—Me refiero a lo siguiente: ¿tiene el sentimiento de que debe «mostrarse superior» con los demás? ¿Cree, honradamente, que debe trabajar muy duro para alcanzar éxito como director, al estar atascado con la clase de gente con la que está atascado?

—¿Atascado? —repliqué, evasivamente.

—Piénselo y sabrá a qué me refiero —me dijo él, sin dejar de sonreír.

Pensé frenéticamente. No había forma de escapar. Finalmente contesté:

—Bueno, supongo que es cierto. Creo que hay mucha gente que es perezosa e incompetente. Pero ¿qué puedo hacer yo? Decírselo no suele ayudar, así que intento hacerlos funcionar de otra forma. A algunos los camelo, a otros los motivo, con otros procuro ser más perspicaz, y así sucesivamente. Además, intento sonreír mucho. En realidad, me siento orgulloso de mis actitudes.

—Comprendo —asintió Bud con una sonrisa—. Pero cuando hayamos terminado no se sentirá tan orgulloso. Lo que hace usted es a menudo erróneo.

Lo miré con incredulidad.

—¿Cómo puede ser erróneo tratar a la gente correctamente?

—Lo cierto es que no los trata correctamente. Ese es el problema. Y está causando más daño del que es consciente.

—¿Qué quiere decir? Eso es algo que va a tener que explicarme —le dije, ahora enojado, al tiempo que aturdido.

Quería saber a qué venía todo aquello.

—Me complacerá mucho explicárselo —me dijo con serenidad—. Puedo ayudarle a conocer cuál es su problema y qué hacer al respecto. Esa es la razón por la que nos hemos reunido. —Hizo una pausa y añadió—: Y puedo ayudarle porque yo también tengo el mismo problema.

Bud se levantó de la silla, con lentitud e incluso cierta solemnidad, y empezó a caminar a lo largo de la mesa.

—Para empezar, necesita conocer un problema que se halla situado en el núcleo mismo de las ciencias humanas.

3
Autoengaño

—*T*iene usted hijos, ¿verdad, Tom?

Casi agradecí aquella sencilla pregunta y sentí que la animación reaparecía en la expresión de mi cara.

—Sí, tengo uno. Se llama Todd y tiene dieciséis años.

—¿Recuerda cómo se sintió cuando nació, cómo su presencia pareció cambiar su perspectiva de la vida? —preguntó Bud.

Había pasado mucho tiempo desde la última vez que recordé esos pensamientos iniciales sobre el nacimiento de Todd. Habían ocurrido muchas cosas desde que aquellas sensaciones se vieran arrastradas por un decenio de amargas palabras y recuerdos. A Todd se le había diagnosticado un trastorno de déficit de atención, y me resultaba imposible pensar en él sin experimentar una inquietud en el fondo de mi alma. No hacía más que causar problemas, y así había sido durante años. Pero la pregunta de Bud me devolvió a tiempos más felices.

—Sí, lo recuerdo —contesté, pensativo—. Recuerdo cuando lo sostenía en mis brazos, pensando en mis esperanzas para su vida, sintiéndome inadecuado e incluso abrumado, pero al mismo tiempo agradecido.

El recuerdo alivió por un momento el dolor que sentía en el presente.

—Eso fue lo que también me sucedió a mí —asintió Bud, como sabiendo muy bien de qué hablaba—. Quiero contarle una historia que se inició con el nacimiento de mi primer hijo. Se llama David.

21

»Yo era un joven abogado que trabajaba muchas horas en uno de los más prestigiosos bufetes del país. Uno de los acuerdos en los que trabajé fue un gran proyecto financiero en el que intervinieron unos treinta bancos de todo el mundo. Nuestro cliente era el principal garante del acuerdo.

»Se trataba de un proyecto complicado en el que interveníamos muchos abogados. Sólo en nuestro bufete fuimos ocho los abogados asignados al tema, procedentes de cuatro sucursales diferentes en todo el mundo. Yo era el segundo miembro más joven del equipo y asumía la responsabilidad principal sobre la redacción de unos cincuenta contratos que acompañaban al contrato principal. Se trataba de un gran acuerdo que suponía muchos viajes al extranjero, cifras con muchos ceros, y en el que estaban implicados personajes con mucho poder.

»Una semana después de haber sido asignado al proyecto, Nancy y yo supimos que estaba embarazada. Fue una época maravillosa para nosotros. David nació unos ocho meses más tarde, el 16 de diciembre. Antes del nacimiento trabajé duro para terminar o asignar a otro mis proyectos, de modo que pudiera tomarme tres semanas para estar con nuestro bebé recién nacido. No creo que me haya sentido nunca tan feliz como en aquella época.

»Pero entonces recibí una llamada telefónica. Era el 29 de diciembre. Me llamaba el socio principal del acuerdo. Me necesitaban en una reunión que se celebraría en San Francisco y en la que participaríamos todos los relacionados con el tema.

»"¿Durante cuánto tiempo?", pregunté.

»Hasta que se cerrara el trato. Podrían ser tres semanas o tres meses. "Estaremos allí hasta que acabemos", fue lo que me dijo.

»Me sentí aplastado, y la idea de dejar a Nancy y a David a solas en Alexandria, Virginia, donde estábamos, me puso desesperadamente triste. Tardé dos días en poner en orden mis asuntos en el Distrito de Columbia antes de abordar de mala gana el avión que me llevaría a San Francisco. Dejé a mi familia en la acera de lo que antes se llamaba el Aeropuerto Nacional. Con un álbum de fotos bajo el brazo, hice un esfuerzo por separarme de ellos y crucé las puertas de entrada a la terminal.

»Fui el último de los participantes en llegar a nuestras oficinas de San Francisco. Hasta el compañero que llegaba de Londres se me adelantó. Me instalé en el último despacho de invitados que quedaba libre, situado en el piso 21. El trato se negociaba en el piso 25, donde estaban todos los demás.

»Hice de tripas corazón y me puse a trabajar. La acción principal se desarrollaba en el piso 25, donde se celebraban las reuniones y negociaciones entre todas las partes. Pero yo estaba solo en el piso 21, solo con mi trabajo y mi álbum de fotos, que mantenía abierto sobre mi mesa.

»Trabajé cada día desde las siete de la mañana hasta después de la una de la madrugada. Tres veces al día bajaba a la cafetería del vestíbulo y me compraba un bocadillo o una ensalada. Luego, volvía a subir al piso 21 y comía mientras revisaba los documentos.

»Si quiere saber cuál era mi objetivo en aquella época le diré que "redactar los documentos de la mejor forma posible para proteger a nuestro cliente y cerrar el trato", o algo similar. Pero debería usted conocer un par de cosas más sobre mi experiencia en San Francisco.

»Todas las negociaciones fundamentales para los documentos en los que yo trabajaba se celebraban en el piso 25. Esas negociaciones deberían haber sido muy importantes para mí, porque cada cambio que se produjera como consecuencia de ellas tenía que quedar reflejado en todos los documentos que yo redactaba. A pesar de eso, no subía demasiado al piso 25.

»De hecho, después de diez días de comida de cafetería, descubrí que en la sala principal de conferencias del piso 25 se servía comida a cualquier hora, de modo que todos pudieran seguir trabajando. Me enojó el hecho de que nadie me lo hubiera dicho. Durante esos diez días, me reprendieron en dos ocasiones por no haber incorporado en mis documentos algunos de los últimos cambios acordados. ¡Tampoco me los había comunicado nadie! En otra ocasión me reprendieron porque, según se me dijo, no me encontraban con facilidad. Y durante ese período, el socio principal me pidió en dos ocasiones mi opinión sobre cosas en las que no había pensado, temas que indudablemente se me deberían haber ocurrido si hubiera reflexionado un poco. Pertenecían a mi ámbito de responsabilidad. Él no tendría que haber hecho el trabajo en mi lugar.

Bud se detuvo un momento y se sentó.

—Ahora, permítame hacerle una pregunta, Tom. A juzgar por lo poco que le he contado sobre mi experiencia en San Francisco, ¿diría usted que estaba realmente entregado a «redactar los documentos de la mejor forma posible para proteger a nuestro cliente y cerrar el trato»?

—No, no lo creo —contesté, sorprendido ante la facilidad con la que podía criticar a Bud Jefferson—. De hecho, da la impresión de que no se entregó del todo al proyecto. Estaba preocupado por otra cosa.

—En efecto —asintió—. No estaba entregado al proyecto. ¿Y cree usted que el principal socio se dio cuenta?

—Creo que después de esos diez días debió de ser evidente para él —contesté.

—Se dio cuenta lo suficiente como para reprenderme, al menos en un par de ocasiones —admitió Bud—. Veamos lo siguiente: ¿cree que él diría que me había integrado en la visión del asunto, o que me había comprometido a llevarlo a buen término, o que estaba siendo muy útil para todos los demás participantes?

—No, no lo creo así. Al mantenerse aislado, arriesgaba usted el resultado del acuerdo, que no dejaba de ser el de ese cliente.

—Creo que tiene usted razón —admitió Bud—. Me había convertido en un problema. No participaba plenamente en el acuerdo, no estaba comprometido, no había asumido la visión, creaba problemas para los demás, y así sucesivamente. Pero, considere ahora lo siguiente: ¿cómo cree que habría respondido yo si alguien me hubiese acusado de no participar, de no estar comprometido? ¿Cree que habría estado de acuerdo con esa opinión?

Reflexioné sobre la pregunta. Aunque para el mundo exterior debería de haber sido evidente, Bud pudo haber tenido problemas para verse a sí mismo tal como le veían los demás.

—No. Sospecho que se habría puesto a la defensiva si alguien se lo hubiera dicho así.

—Tiene toda la razón. Piénselo: ¿quién había dejado atrás a un hijo recién nacido para acudir a San Francisco? Yo —dijo, contestando su propia pregunta—. ¿Y quién trabajaba veinte horas al día? Yo —Bud se animaba cada vez más—. ¿Quién se vio obligado a trabajar a solas cuatro pisos más abajo que todos los demás? Yo. ¿Y a quién no se le dijo nada de algunos detalles básicos, como los planes para comer? A mí. Así pues, desde mi perspectiva, ¿quién le estaba poniendo las cosas difíciles a quién?

—Supongo que pensó que los demás eran la principal causa del problema —contesté.

—Puede estar seguro de ello —asintió—. ¿Y qué me dice de estar comprometido, de participar y asumir la visión? ¿Se da cuenta de que, desde mi propia perspectiva, no sólo estaba comprometido, sino que bien podría haber sido la persona más comprometida de todas las que intervenían en el acuerdo? Desde mi punto de vista, nadie había asumido más desafíos que yo, a pesar de lo cual seguía trabajando duro.

—Eso es cierto —admití, apoyando relajadamente la espalda en la silla, con un gesto afirmativo de la cabeza—. Seguramente se sintió de ese modo.

—Ahora, piénselo por un momento, Tom. —Bud se puso nuevamente de pie y empezó a pasear por la sala—. Recuerde el problema. Yo no estaba comprometido, no participaba, no había asumido la visión y no hacía sino dificultar las cosas a los demás. Todo eso es cierto. Y eso supone un problema, un gran problema. Pero había otro problema aún mayor y eso es de lo que usted y yo tenemos que hablar.

Ahora, Bud contaba con toda mi atención.

—El mayor problema de todos era que no podía darme cuenta de que tenía un problema. —Bud se detuvo un momento y luego, inclinándose sobre la mesa, hacia mí, añadió con un tono de voz más bajo y serio—: No hay solución al problema de la falta de compromiso, por ejemplo, si no se encuentra antes una solución al mayor problema de todos: el no poder darme cuenta de que no estoy comprometido del todo.

De repente, empecé a sentirme incómodo y noté cómo mi rostro volvía a hundirse en la inexpresividad. Me había sentido tan atrapado en la historia de Bud que hasta se me olvidó que la contaba por alguna razón. Aquella historia iba dirigida a mí. «Seguramente, piensa que yo debo tener un problema más grande.» Mis pensamientos cruzaban agitados por mi mente cuando escuché de nuevo la voz de Bud.

—Tom, aquella insistente ceguera que demostré en San Francisco tiene un nombre. Los filósofos la llaman «autoengaño». En Zagrum le hemos dado un nombre menos técnico; aquí la llamamos «estar dentro de la caja». En nuestro lenguaje coloquial, cuando nos autoengañamos, decimos que «estamos en la caja».

»Va a aprender mucho sobre la caja, pero para empezar, piense del siguiente modo: en cierto modo, yo estaba "atascado" en mi experiencia en San Francisco. Y estaba atascado porque tenía un problema que no creía tener, un problema que no podía ver. Sólo podía ver las cosas desde mi propia perspectiva cerrada y me resistía profundamente a cualquier sugerencia de que la verdad fuese diferente. Así pues, estaba en la caja: apartado, cerrado, ciego. ¿Cree que eso tiene sentido?

—Claro. Capto la idea —contesté, reconectado temporalmente con la historia de Bud.

—En las organizaciones no hay nada más común que el autoengaño —siguió diciendo—. Por ejemplo, según su experiencia laboral, piense en una persona que constituya realmente un gran problema; digamos, por ejemplo, alguien que haya sido un gran inconveniente para el trabajo en equipo.

Eso resultaba fácil, Chuck Staehli, el vicepresidente ejecutivo de la empresa en la que trabajaba antes. Era un estúpido simplón. No pensaba en nadie más que en sí mismo.

—Sí, conozco a un tipo así.

—Bien, pues ahí va una pregunta: la persona en la que usted está pensando, ¿sabe que es un problema del mismo modo que usted cree que lo es?

—No, ciertamente no.

—Eso es lo que suele suceder —asintió, deteniéndose directamente delante de mí—. Identifique a alguien con un problema y, por lo general, será alguien que se resiste a aceptar la sugerencia de que tiene un problema. Eso es autoengaño: la incapacidad para darse cuenta de que uno tiene un problema. De todos los problemas que hay en las organizaciones, ese es el más común, y el más destructivo.

Bud colocó las manos sobre el respaldo de la silla, apoyándose en ella.

—¿Recuerda que hace pocos minutos le dije que necesitaba usted saber algo sobre un problema en las ciencias humanas?

—Sí.

—Pues de eso se trata. El problema es el autoengaño, la caja. —Se detuvo. Estaba claro que esta era una cuestión muy importante para él—. En Zagrum, Tom, nuestra máxima iniciativa estratégica es reducir al mínimo el autoengaño individual y organizativo. Ahora, para darle una idea de lo importante que es eso para nosotros —añadió reanudando el paseo por la sala—, necesito contarle algo sobre un problema análogo en medicina.

4

El problema que subyace bajo otros problemas

—¿*H*a oído hablar alguna vez de Ignaz Semmelweis? —me preguntó.

—No, no lo creo. ¿Es el nombre de alguna enfermedad, o algo así?

—No, no —exclamó Bud con una sonrisa—, pero anda cerca. Semmelweis fue un médico europeo, especializado en obstetricia, que vivió a mitad del siglo XIX. Trabajó en el Hospital General de Viena, una importante institución de investigación, donde intentó llegar hasta el fondo del horrendo índice de mortalidad existente entre las mujeres de la sala de maternidad. En la sección donde trabajaba Semmelweis, el índice de mortalidad era de una por cada diez parturientas. Imagíneselo. Una de cada diez mujeres que llegaban para dar a luz moría. ¿Se lo imagina?

—No habría dejado a mi esposa que se acercara a ese lugar —dije.

—No habría sido el único. El Hospital General de Viena tenía tan aterradora fama que algunas mujeres llegaban a dar a luz en la calle y sólo después acudían al hospital.

—No se lo puedo reprochar.

—Yo tampoco —admitió Bud.

»La acumulación de síntomas asociados con esas muertes se conoció como "fiebre puerperal". La ciencia médica convencional de la época aplicaba un tratamiento separado a cada síntoma. La inflamación significaba que el exceso de sangre causaba la hinchazón, de modo que sangraban al paciente o le aplicaban sanguijuelas. Trataban la fiebre del mismo modo. La respiración dificultosa significaba que el aire era malo, así que mejoraban la ventilación, y así sucesivamente. Pero nada funcionaba. Más de la mitad de las mujeres que contraían la enfermedad morían al cabo de pocos días.

»Los terribles riesgos eran bien conocidos. Semmelweis informó que a las pacientes se las veía con frecuencia "pidiendo de rodillas, retorciéndose las manos", que se las trasladara a otra sección de la sala de maternidad, donde el índice de mortalidad sólo era de una cada cincuenta, lo que seguía siendo horrible, pero mucho mejor que el índice de una cada diez de la sección de Semmelweis.

»Poco a poco, Semmelweis se obsesionó con el problema, sobre todo al descubrir por qué el índice de mortalidad en una sección de la sala de maternidad era mucho más elevado que en otra sección. La única diferencia evidente entre las dos secciones era que la de Semmelweis estaba atendida por médicos, mientras que la otra estaba atendida por comadronas. No acababa de ver cómo podía eso explicar la diferencia, así que trató de igualar todos los demás factores entre las pacientes de maternidad. Lo estandarizó todo, desde las posturas para dar a luz hasta la ventilación y la dieta. Estandarizó incluso la forma en que se lavaba la ropa. Examinó todas las posibilidades, pero no encontró respuesta alguna. Nada de lo que intentaba suponía una diferencia medible en los índices de mortalidad.

—Tuvo que haberse sentido increíblemente desanimado —sugerí.

—Imagino que sí —asintió Bud—. Pero entonces ocurrió algo. Durante cuatro meses estuvo fuera, de visita en otro hospital, y tras su regreso descubrió que, durante su ausencia, el índice de mortalidad había descendido significativamente en su sección de la sala.

—¿De veras?

—Sí. No sabía por qué, pero estaba claro que había descendido. Se propuso encontrar la razón. Gradualmente, su investigación le llevó a pensar en la posible importancia de la investigación hecha por los médicos en cadáveres.

—¿Cadáveres?

—Sí. Recuerde que el Hospital General de Viena era un hospital universitario y de investigación. Muchos de los médicos dividían su tiempo entre la disección de cadáveres y el tratamiento de los pacientes vivos. Nadie había visto ningún problema en esa práctica porque todavía no se tenía un amplio conocimiento de los gérmenes. Lo único que conocían eran los síntomas. Al examinar sus propias prácticas de trabajo y compararlas con los que trabajaron en su puesto durante su ausencia, Semmelweis descubrió que la única diferencia significativa era que él mismo pasaba mucho más tiempo realizando disección de cadáveres.

»A partir de esas observaciones, desarrolló una teoría de la fiebre puerperal, que se convirtió en la precursora de la teoría de los gérmenes. Llegó a la conclusión de que «partículas» de los cadáveres y de otros pacientes enfermos se transmitían a los pacientes sanos *en las mismas manos de los médicos*, así que instituyó de inmediato la política de exigir que todos los médicos se lavaran las manos meticulosamente con una solución de cloruro y lima antes de examinar a cualquier paciente. ¿Y sabe lo que sucedió?

—¿Qué? —pregunté, expectante.

—El índice de mortalidad descendió inmediatamente a una de cada cien.

—Así que tenía razón —dije, casi con la respiración contenida—. Los propios médicos eran los portadores.

—Sí. De hecho, Semmelweis comentó con tristeza en cierta ocasión: «Sólo Dios sabe el número de pacientes que murieron prematuramente por mi causa». Imagínese, tener que vivir con eso. Los médicos hacían todo lo que podían, pero lo cierto era que transportaban una enfermedad de la que no sabían nada, que causaba una multitud de síntomas debilitadores, todos los cuales se pudieron prevenir mediante un sencillo acto una vez que se descubrió la causa común de los síntomas, lo que más tarde se identificó como un germen.

Bud se detuvo. Apoyó las manos sobre la mesa y se inclinó hacia mí.

—Pues bien, existe un germen similar que se extiende por las organizaciones, un germen del que todos somos portadores en mayor o menor medida, un germen que mata el liderazgo, un germen que provoca multitud de «problemas de grupo». Se trata de un germen que se puede aislar y neutralizar.

—¿Qué es? —pregunté.

—Precisamente de lo que hemos estado hablando —contestó Bud—. Autoengaño, «la caja». O, más exactamente, el autoengaño es la enfermedad. Lo que vamos a aprender ahora es el germen que la provoca.

»Lo que le sugiero, Tom, es que, lo mismo que sucedió con el descubrimiento de la causa de la fiebre puerperal, el descubrimiento de la causa del autoengaño supone la revelación de una especie de teoría unificadora, de una explicación que muestra cómo una serie de síntomas aparentemente dispares, que llamamos "problemas de grupo", desde problemas en el liderazgo hasta los de motivación y toda la gama de problemas intermedios, vienen causados por lo mismo. Con ese conocimiento se pueden solucionar los problemas de grupo de una forma tan eficiente como no se habría creído posible antes. Existe una forma clara de atacar y solucionar esos problemas, no uno a uno, sino de una sola y disciplinada vez.

—Eso es todo un logro —comenté.

—Lo es —asintió Bud—. Y también todo un descubrimiento. Pero no pretendo que crea ciegamente en lo que le digo. Me propongo ayudarle a descubrirlo por usted mismo. Necesitamos que lo comprenda porque necesita usted estar seguro de que las estrategias que se deriven de ello se ponen en práctica en su división.

—Está bien —asentí.

—Para empezar, permítame contarle algo sobre una de mis primeras experiencias en Zagrum.

5

Por debajo del liderazgo efectivo

—*D*espués de pasar diez años en el bufete de abogados, me convertí en asesor general de Sierra Product Systems. ¿Recuerda a Sierra? —me preguntó Bud, volviéndose a mirarme.

Sierra había sido la pionera de varios de los procesos explotados por Zagrum para ascender al lugar que ahora ocupaba, en lo más alto entre las empresas dedicadas a la fabricación de alta tecnología.

—Claro. Sus tecnologías cambiaron la industria. ¿Qué fue de ellos?

—Fueron adquiridos por Zagrum Company.

—¿De veras? No me había enterado.

—El acuerdo fue bastante complicado, pero el resultado final fue que Zagrum adquirió la mayor parte de la útil propiedad intelectual de Sierra, como patentes y todo lo demás.

»Eso sucedió hace dieciséis años. Por aquella época yo era vicepresidente de Sierra y me integré en Zagrum como parte del acuerdo. No tenía ni la menor idea de dónde me metía. —Bud extendió la mano hacia el vaso y tomó un sorbo de agua—. Por aquella época, Zagrum era un tanto misteriosa. Pero a mí me introdujeron de modo bastante apresurado en el misterio de Zagrum, durante mi segunda gran reunión, para ser exactos.

»Al estar íntimamente familiarizado con las adquisiciones claves procedentes de Sierra, me integré en Zagrum como parte del equipo ejecutivo. En mi primera reunión se me asignaron varias tareas difíciles antes de la segunda reunión, que se celebraría dos semanas más tarde. Era una carga pesada, sobre todo porque tenía que aprender cómo funcionaba la empresa.

»Finalmente, la noche antes de que se celebrase la segunda reunión, sólo me faltaba por completar una de las tareas asignadas. Ya era tarde y estaba cansado. Dado todo lo conseguido y lo que había tenido que pasar para lograrlo, esa última tarea pendiente me pareció poco importante. Así que decidí dejarla sin hacer.

»Al día siguiente, en la reunión, informé de mis logros, hice mis recomendaciones y compartí la información importante que había logrado reunir. Luego le dije al grupo que debido al tiempo empleado en realizar todas aquellas otras tareas, por no hablar de los obstáculos encontrados, aún me quedaba una última por realizar.

»Jamás olvidaré lo que ocurrió a continuación. Lou Herbert, que por entonces era el presidente de la empresa, se volvió hacia Kate Stenarude, que ocupaba el puesto que yo tengo ahora, y le pidió que se ocupara de realizar aquella tarea para la siguiente reunión. Luego, la reunión continuó con los informes de los demás. No se dijo nada más sobre el asunto, pero observé que yo era la única persona del grupo que había dejado algo por hacer.

»Me pasé el resto de la reunión perdido en mis propios pensamientos, sintiéndome en una situación embarazosa, empequeñecido, preguntándome si pertenecía a aquel grupo, si realmente deseaba pertenecer al mismo.

»Una vez acabada la reunión, guardé mis documentos en el maletín, mientras los demás charlaban. En ese momento no me sentía parte del grupo y trataba de pasar inadvertido y deslizarme hacia la puerta, dejando atrás a mis colegas, cuando noté una mano sobre la espalda.

»"Bud…" Me volví y vi a Lou que me sonreía y me miraba con sus suaves pero penetrantes ojos. "¿Le importaría que le acompañara de regreso a su despacho?", me preguntó.

»"No, en absoluto", le contesté, sorprendido de que, efectivamente, no me importara.

Bud detuvo un momento su narración.

—Usted no conoce a Lou y probablemente no lleva con nosotros el tiempo suficiente para conocer las historias que se cuentan, pero la verdad es que Lou Herbert es toda una leyenda. Fue personalmente responsable de haber tomado en sus manos una empresa mediocre y poco importante y haberla convertido en un monstruo enorme, a pesar de sus debilidades y en ocasiones incluso gracias a ellas. Todo el que trabajó en Zagrum por esa época le fue ferozmente leal.

—En realidad, he escuchado alguna que otra anécdota —dije—. Y desde mi trabajo en Tetrix recuerdo cómo los jefes parecían admirarlo, sobre todo Joe Alvarez, el presidente ejecutivo de Tetrix.

—Sí, conozco a Joe —asintió Bud.

—Bueno —añadí—, Joe considera a Lou como el pionero de la industria.

—Tiene razón —asintió Bud—. Lou fue el pionero de la industria, aunque Joe no sabe bien hasta qué punto. Y eso es lo que va usted a saber —indicó con énfasis—. Lou está jubilado desde hace diez años, pero sigue viniendo por aquí varias veces al mes para ver lo que estamos haciendo. Su perspicacia es muy valiosa. Y nosotros seguimos reservándole un despacho.

»En cualquier caso, Tom, yo ya conocía buena parte de su leyenda antes de integrarme en la empresa. Así que quizá pueda comprender las contrapuestas emociones que experimenté después de aquella reunión. Tenía la sensación de haber sido desairado, pero también me preocupaba mucho la opinión que pudiera tener Lou de mí. ¡Y ahora resultaba que me pedía acompañarme de regreso a mi despacho! Me alegré de caminar a su lado, pero también temía…, bueno, no sé qué temía.

»Me preguntó cómo me había ido el traslado, si mi familia se había instalado y se sentía feliz y si disfrutaba con los desafíos que se me planteaban en Zagrum. Le entristeció saber que Nancy lo estaba pasando mal a causa del traslado y prometió llamarla personalmente para ver si podía hacer algo, una llamada que hizo aquella misma noche.

»Cuando llegamos a mi despacho, antes de que pudiera volverme para entrar, me tomó por los hombros con sus fuertes y delgadas manos, me miró directamente a los ojos, con una expresión de ligera preocupación escrita en las arrugas de su curtida frente y me dijo: "Bud, nos sentimos felices de tenerlo con nosotros. Es usted un hombre bueno y con talento. Añade mucho al equipo, pero no volverá a dejarnos en la estacada, ¿verdad?".

—¿Fue eso lo que dijo? —le pregunté con incredulidad.

—Sí.

—No tengo nada contra Lou, pero creo que fue un tanto inmerecido teniendo en cuenta todo lo que usted había hecho. Se puede asustar a mucha gente diciendo cosas así.

—Eso es cierto —admitió Bud—, pero ¿sabe? Las cosas no fueron así en mi caso. En aquel momento no me sentí ofendido con Lou y, en cierto modo, hasta me mostré inspirado y conseguí decir: «No, Lou, no volveré a dejarles en la estacada».

»Sé que eso parece un cuento viejo, pero así eran las cosas con Lou. Raras veces tomaba sus decisiones siguiendo las normas de libro. Probablemente, llegó a violar todos y cada uno de los principios de dirección conocidos por el hombre. De cien personas que hubieran tratado de hacerme lo que me hizo Lou en aquella reunión y después, sólo una podría haber conseguido mi cooperación, como la consiguió Lou, en lugar de mi resentimiento. Según la teoría, eso no debería haber funcionado, pero lo cierto es que funcionó. Y, con Lou, solía funcionar. La cuestión, Tom, es saber *por qué*, *¿por qué* funcionaba así con Lou?

Aquella era una buena pregunta.

—No lo sé —contesté finalmente, con un ligero encogimiento de hombros. Y al cabo de un momento, añadí—: Quizá fuera porque se dio cuenta de que Lou se preocupaba tanto por usted que no se sentía amenazado por la situación, como podría haber sucedido de otro modo.

Bud sonrió y se sentó de nuevo frente a mí.

—Lo que acaba de decir es extremadamente importante, Tom. Piense por un momento en ello; sabemos qué es lo que *sienten* los demás sobre nosotros, y es a *eso* a lo que respondemos. Permítame darle otro ejemplo.

»Hace un par de años, había dos personas en el edificio 6 que siempre parecían andar a la greña, lo que creaba problemas para el equipo. Una de ellas acudió a verme para hablar del asunto y me dijo: "No sé qué hacer con esto. No consigo que Leon responda y coopere conmigo. No importa lo que yo haga; Leon parece incapaz de pensar que yo pueda tener algún interés por él. Hago todo lo posible por preguntarle por su familia, lo invito a almorzar, hago todo lo que se me ocurre, pero nada ayuda".

»"Quiero que considere algo, Gabe", le dije. "Piénselo a fondo. Cuando hace todo lo posible para conseguir que Leon sepa que se interesa por él, ¿qué es lo que le interesa más: él, o la opinión que él tiene de usted?"

»Creo que Gabe se sorprendió un poco ante la pregunta, así que añadí: "Quizá Leon crea que no está usted realmente interesado por él y que en realidad sólo se preocupa por usted mismo".

»Finalmente, Gabe comprendió el problema, aunque fue un momento doloroso. De él dependía, por tanto, encontrar la forma de hacer algo al respecto, de aplicar algunas de las cosas de las que usted y yo vamos a tratar hoy.

Bud me dirigió una larga mirada, como si quisiera leer mis pensamientos.

—Déjeme darle otro ejemplo —dijo—, esta vez más cercano a mi hogar. Una mañana, hace ya años, Nancy y yo andábamos enzarzados en una discusión. Por lo que recuerdo, ella estaba enfadada porque yo no había lavado los platos la noche anterior, y yo estaba enfadado porque ella se enojara por eso. ¿Capta la situación?

—Desde luego. Ya he pasado antes por eso —contesté, pensando en la última de una larga serie de discusiones que había tenido con mi esposa, Laura, esa misma mañana.

—Al cabo de un rato, Nancy y yo nos habíamos situado incluso en lados opuestos de la habitación —siguió diciendo Bud—. Yo estaba harto de nuestra pequeña «discusión» que, además, me estaba haciendo llegar tarde al trabajo, y decidí disculparme para acabar de una vez con el asunto. Me acerqué a ella y le dije: «Lo siento, Nancy», y me incliné para besarla.

»Nuestros labios se encontraron, aunque sólo fuese por un milisegundo. Fue el beso más corto del mundo. No tenía la intención de que fuera de ese modo, pero fue todo lo que ambos pudimos hacer en ese momento.

»"No lo dices de veras", me dijo ella con serenidad mientras yo me apartaba lentamente. Y tenía razón, claro, precisamente por la razón de la que hemos hablado: porque se me notaba lo que sentía. Me sentía agraviado, sobrecargado y nada apreciado, y ni siquiera podía encubrirlo con un beso. Pero recuerdo que descendí al garaje, sacudiendo la cabeza y murmurando algo para mis adentros. Ahora tenía una prueba más de la actitud irrazonable de mi esposa: ni siquiera era capaz de aceptar una disculpa.

»Y esa es precisamente la cuestión, Tom. ¿Había una disculpa que aceptar?

—No, porque usted no la dijo de veras, como observó Nancy.

—En efecto. Yo le dije: «Lo siento», pero mis sentimientos no dijeron eso, y a lo que ella respondió fue a lo que yo sentía, revelado por mi tono de voz, por la mirada, la postura, el nivel de interés demostrado por sus necesidades.

Bud se detuvo y pensé en lo sucedido aquella misma mañana con Laura: su rostro, que en otro tiempo irradiaba alegría, preocupación y amor por la vida, aparecía ahora ensombrecido por la resignación de una profunda herida, y sus palabras producían agujeros en las convicciones que todavía me quedaban acerca de nuestro matrimonio.

—Tengo la sensación de que ya no te conozco, Tom —me dijo Laura—. Y, lo que es peor, la mayor parte del tiempo tengo la sensación de que ya no te preocupas realmente por conocerme. Es como si yo fuera una pesada carga para ti, o algo así. No sé ya cuándo fue la última vez que sentí amor por ti. Ahora, sólo queda toda esa frialdad. Te limitas a hundirte en tu trabajo, incluso cuando estás en casa. Y, si quieres que te diga la verdad, en realidad tampoco abrigo fuertes sentimientos hacia ti. Desearía tenerlos, pero todo se convierte en una especie de palabrería. Nuestra vida juntos ya no es una vida juntos. Vivimos nuestras vidas por separado, aunque convivamos en la misma casa, nos encontremos el uno con el otro de vez en cuando, nos preguntemos por fechas y cosas comunes. Incluso conseguimos sonreír, pero todo son mentiras. No hay ningún sentimiento por detrás de todo eso.

—Lo que planteo aquí, Tom —escuché de nuevo la voz de Bud, que me arrancó de mis problemas personales—, es que podemos darnos cuenta de lo que sienten los demás hacia nosotros. Con un poco de tiempo, siempre podemos saber cuándo alguien hace esfuerzos por soportarnos, nos manipula o nos engaña. Siempre podemos detectar la hipocresía. Siempre somos capaces de detectar la culpa oculta por debajo del barniz de la amabilidad. Y, habitualmente, nos resentimos por ello. No importa que la otra persona intente arreglar la situación dando vueltas a nuestro alrededor, sentándose en el borde de una silla para practicar la escucha activa, preguntarnos por la familia para mostrarnos interés o utilizar cualquier otra habilidad aprendida con tal de ser más efectivo. Lo que nosotros sabemos y a lo que respondemos es cómo nos considera esa persona cuando hacemos esas cosas.

Mis pensamientos regresaron de nuevo a Chuck Staehli.

—Sí, sé de qué habla. ¿Conoce a Chuck Staehli, el vicepresidente ejecutivo de Tetrix?

—¿De un metro noventa, cabello pelirrojo y delgado y unos ojos estrechos de mirada intensa? —preguntó Bud.

—Él mismo. Pues bien, sólo necesité estar diez minutos con él para saber que el mundo tenía que girar a su alrededor, y si eso sucedía con el mundo, ciertamente tenía que suceder con todo aquel que trabajara en su organización. Recuerdo por ejemplo una ocasión en la que estaba en una reunión de ejecutivos con Joe Alvarez, después de un mes de octubre febril en el que tratamos de solucionar un problema de software en uno de nuestros productos. Fue un esfuerzo hercúleo que consumió casi todo mi tiempo y el ochenta por ciento del tiempo de uno de mis grupos. Durante la reunión, Joe expresó su felicitación por un trabajo bien hecho. ¿Se imagina quién aceptó la alabanza?

—¿Staehli?

—En efecto, Staehli. Ni siquiera reconoció lo que habíamos hecho nosotros o, si lo hizo, fue de un modo tan devaluado que habría sido mejor que no dijera nada. Se limitó a recoger toda la gloria. Creo que en ese momento estaba realmente convencido de ser el responsable del éxito. Eso me hizo sentir verdaderas náuseas. Y ese no es más que uno de entre muchos otros ejemplos.

Bud me escuchaba con interés y, de repente, me di cuenta de lo que estaba haciendo: hablando mal de mi antiguo jefe delante del nuevo. Tuve la sensación de que debía cerrar la boca de inmediato.

—El caso es que Chuck me pareció un buen ejemplo de lo que usted estaba diciendo.

Me recliné en la silla como para indicar que había terminado, confiando en no haber hablado demasiado.

Si Bud se sintió alarmado por algo, no lo demostró.

—Sí, ese es un buen ejemplo —dijo—. Compare ahora la actitud de Staehli con la de Lou, o, más exactamente, compare la influencia que tuvo cada uno de ellos sobre los demás. ¿Diría usted, por ejemplo, que Staehli inspiró en usted la misma clase de esfuerzo, el mismo nivel de resultados que Lou inspiró en mí?

—Desde luego que no —contesté a la fácil pregunta—. Staehli no inspiró ni trabajo duro ni devoción alguna. No me malinterprete. Seguí trabajando duro, claro está, porque tenía una carrera propia de la que preocuparme, pero nadie se desvivió nunca por ayudarle.

—Observe que algunas personas, como por ejemplo Lou, inspiran devoción y compromiso en los demás, incluso aunque sean torpes a nivel interpersonal —dijo Bud—. Apenas importa el hecho de que hayan asistido a numerosos seminarios o de que nunca consiguieran aprender las últimas técnicas. ¡Lo cierto es que producen! Y también inspiran a hacer lo mismo a aquellos que los rodean. Algunos de los mejores líderes de nuestra empresa pertenecen a esa categoría. No siempre dicen o hacen las cosas «correctas», pero a la gente le encanta trabajar con ellos. Obtienen resultados.

»Pero luego también está esa otra gente, los Chuck Staehli, como usted lo ha descrito, que ejercen sobre los demás una influencia muy diferente. Aunque a nivel interpersonal hicieran todas las cosas "correctas", aunque aplicaran todas las últimas habilidades y técnicas a sus comunicaciones y tareas, eso no importaría lo más mínimo. En último término, la gente se resentiría con sus tácticas y actitudes. Y terminarían por ser unos fracasos como líderes, precisamente porque provocan a la gente a resistirse a ellos.

—Eso es cierto —asentí—. Staehli actuaba con suavidad pero, para mí, eso le perjudicaba porque yo siempre tenía la sensación de estar siendo «suavizado». ¿Está usted diciendo, sin embargo, que las habilidades de las personas no importan? —añadí—. No estoy tan seguro de que eso sea cierto.

—No, claro que no estoy diciendo eso. Lo que sugiero es que las habilidades de las personas nunca son tan fundamentales. Según mi experiencia, pueden ser valiosas utilizadas por personas como Lou; reducen las malas interpretaciones y las torpezas. Pero no son nada útiles cuando las utilizan personas como Staehli, tal como lo ha descrito, ya que sólo crean resentimiento en las personas que tratan de «habilitar» o «suavizar», como dice usted. Que las habilidades de las personas sean efectivas o no depende de algo más profundo.

—¿De algo más profundo?

—Sí, algo más profundo que el comportamiento y la habilidad. Eso fue lo que me enseñó Lou, y mi reacción ante él, aquel día de la segunda reunión a la que asistí aquí, en Zagrum. Y lo que me enseñó al principio del día siguiente, cuando él y yo estuvimos reunidos durante un día entero.

—¿Quiere usted decir…?

—Sí, Tom —me contestó Bud antes de que terminara de formular la pregunta—. Lou hizo por mí lo que yo he empezado a hacer ahora por usted. Algo que solían llamar «las reuniones de Lou» —añadió con una sonrisa burlona, mirándome intencionadamente—. Recuerde que yo tengo el mismo problema que usted.

6

La influencia depende de una elección fundamentada

—¿*Y* qué es eso más profundo? —pregunté con curiosidad.

—Algo de lo que ya hemos hablado: el autoengaño. Determinar si estoy dentro o fuera de la caja.

—Está bien —dije lentamente, con el deseo de saber más.

—Como ya hemos dicho, la gente responde principalmente a lo que sentimos por los demás en el interior, al margen de lo que hagamos exteriormente. Y lo que sentimos por los demás depende de si está uno dentro o fuera de la caja respecto a ellos. Permítame ilustrárselo dándole un par de ejemplos.

»Hace aproximadamente un año fui de Dallas a Phoenix en un vuelo sin reservas de asiento. Había llegado lo bastante pronto como para conseguir una de las primeras tarjetas de embarque. Mientras nos disponíamos a embarcar, oí decir al auxiliar que el avión no estaba completo, pero que sólo quedarían unos pocos asientos vacíos. Me sentí afortunado y aliviado de encontrar un asiento de ventanilla, con otro libre al lado, aproximadamente en el tercio trasero del avión. Los pasajeros que buscaban asientos seguían avanzando por el pasillo, evaluando con la mirada la mejor de las opciones cada vez más escasas. Dejé el maletín en el asiento vacío, saqué el periódico y me puse a leer. Recuerdo que miré por encima del borde superior del periódico hacia los pasajeros que se acercaban por el pasillo. Ante la menor señal de lenguaje corporal indicativa de que se consideraba como una posibilidad el asiento donde estaba mi maletín, extendía más el periódico, procurando que aquel puesto pareciese lo más indeseable posible. ¿Capta la imagen?

—Perfectamente.

—Bien. Ahora, déjeme hacerle una pregunta: a primera vista, ¿qué *comportamiento* estaba teniendo en el avión? ¿Cuáles eran algunas de las cosas que hacía?

—Bueno, para empezar se comportó como una especie de estúpido —me atreví a contestar.

—Ciertamente —admitió con una amplia sonrisa—, pero no me refería exactamente a eso, al menos por ahora. Quiero decir, ¿qué acciones concretas realicé en el avión? ¿Qué estaba haciendo? ¿Cuál era mi comportamiento exterior?

—Bueno, veamos —dije, pensando en la imagen que se había formado en mi mente—. Estaba ocupando dos asientos. ¿Es a eso a lo que se refiere?

—Desde luego. ¿Y qué más?

—Pues…, leía el periódico. Observaba a la gente que pudiera sentarse a su lado. Y, a un nivel más básico, estaba sentado.

—Está bien —asintió Bud—. Veamos ahora otra pregunta. Mientras realizaba todos esos comportamientos, ¿cómo veía a las personas que buscaban puesto? ¿Qué eran ellas para mí?

—Yo diría que las veía como amenazas, quizá como molestias o problemas o algo así.

—Muy bien. ¿Diría que consideraba el derecho de esas personas a buscar asiento tan legítimo como el mío?

—En absoluto. Lo que contaban eran sus propias necesidades, mientras que las de los demás eran, en todo caso, secundarias —contesté, sorprendido por mi franqueza—. Por lo que usted dice, da la impresión de que se consideraba a sí mismo como el amo del lugar.

Bud se echó a reír, evidentemente complacido por el comentario.

—Bien dicho, bien dicho. —Cuando dejó de reír, continuó, ya más serio—. Tiene razón. En ese avión, si los demás contaban para algo, sus necesidades y deseos eran mucho menos importantes que los míos.

»Compare ahora esa experiencia con la siguiente, ocurrida hace aproximadamente seis meses. Nancy y yo viajamos a Florida. De algún modo, se produjo un error en la asignación de asientos y nos encontramos con que no podíamos sentarnos juntos. El avión estaba lleno y la auxiliar de vuelo tenía dificultades para encontrar una forma de sentarnos juntos. Mientras esperábamos en el pasillo, tratando de hallar una solución, una mujer con un periódico doblado apresuradamente se nos acercó desde la parte trasera del avión y nos dijo: "Disculpen, si necesitan dos asientos juntos, creo que el de al lado mío está vacío y a mí no me importaría sentarme en uno de sus asientos".

»Ahora, piense en aquella mujer. ¿Cómo diría que nos vio, acaso como amenazas, molestias o problemas?

—En modo alguno. Parece que los consideró simplemente como personas necesitadas de encontrar asientos contiguos —contesté—. Probablemente, eso es algo más básico de lo que usted pretendía que contestara, pero…

—No, está muy bien —me interrumpió Bud, que por lo visto deseaba aclarar algo—. Ahora, compare a esa mujer conmigo. ¿Dio ella prioridad a sus propias necesidades y deseos como yo había dado a los míos?

—No parece que fuera así —contesté—. Todo parece indicar que, desde el punto de vista de la mujer y teniendo en cuenta las circunstancias, sus necesidades y las de ustedes tuvieron la misma importancia para ella.

—Correcto —asintió Bud mientras se dirigía hacia el extremo más alejado de la mesa de conferencias—. Aquí tenemos, pues, dos situaciones en las que una persona está sentada en un avión junto a un asiento vacío, leyendo el periódico de forma ostensible y observando a los demás, que todavía buscan asientos en el avión. Eso es lo que sucedía en la superficie en cuanto al comportamiento.

Bud abrió dos grandes puertas de caoba situadas en el extremo más alejado de la mesa, hacia mi izquierda, y dejó al descubierto una gran pizarra blanca de material plástico.

—Pero observe ahora lo diferente que fue esa experiencia aparentemente similar para mí y para aquella mujer. Yo menosprecié a los demás; ella, en cambio, no. Yo me sentía ansioso, tenso, irritado, amenazado y enojado, mientras que ella no parecía experimentar ninguna de esas emociones negativas. Yo estaba allí sentado, culpabilizando a los demás que pudieran interesarse por el asiento donde había dejado mi maletín; quizás alguno pareciera muy feliz, otro me mirase ceñudo, otro tuviera excesivo equipaje de mano, otro pareciese un parlanchín, y así sucesivamente. La mujer, por su parte, no parece que culpabilizara a nadie sino que, al margen de que se sintiera feliz, ceñuda, cargada con equipaje de mano, parlanchina o no, comprendió que nosotros necesitábamos sentarnos en alguna parte. Y, siendo así, ¿por qué el asiento que tenía vacío a su lado, y en este caso incluso su propio asiento, no era nuestro con tanto derecho como suyo? Allí donde yo sólo había visto amenazas, molestias y problemas, esa mujer simplemente vio a dos personas a las que les gustaría sentarse juntas.

»Ahora tengo otra pregunta que hacerle —siguió diciendo Bud—. ¿No es cierto que las personas que abordaron ambos aviones eran gentes con esperanzas, necesidades, preocupaciones y temores comparables y que todas ellas tenían más o menos la misma necesidad de sentarse?

La contestación me pareció evidente.

—Sí, estoy de acuerdo con eso —asentí.

—Pues si eso es cierto, yo tenía un gran problema, puesto que no veía a la gente del avión de ese modo. En aquel momento consideraba que, de algún modo, tenía más derecho o era superior a todos aquellos que buscaban un lugar donde sentarse. Me había autoproclamado como «el rey del gallinero», como usted bien dijo, y veía a los demás como inferiores a mí y menos merecedores que yo. Observe ahora que mi visión, tanto de mí mismo como de los demás, se hallaba distorsionada respecto de lo que, según hemos quedado de acuerdo, era la realidad, es decir, que todos nosotros éramos personas con más o menos la misma necesidad de sentarnos. Así pues, mi visión del mundo era una forma sistemáticamente incorrecta de ver a los demás y a mí mismo. De algún modo, consideraba a los demás como menos de lo que eran, como objetos cuyas necesidades y deseos eran secundarios y menos legítimos que los míos. Era incapaz de ver problema alguno en lo que estaba haciendo. Me estaba autoengañando o, si lo prefiere, estaba dentro de la caja.

»Por su parte, la mujer que nos ofreció su asiento vio la situación y nos vio a nosotros sin prejuicios. Vio a los demás como lo que eran, personas como ella misma, con necesidades y deseos similares a los suyos. Vio las cosas directamente, sin tapujos. Estaba fuera de la caja.

»Así pues, las experiencias interiores de las dos personas —siguió diciendo—, aunque mostraban los mismos comportamientos externos, fueron diametralmente diferentes. Y esa diferencia es muy importante, tanto que quisiera resaltarla con un esquema.

Se volvió hacia la pizarra y dedicó un rato a trazar lo siguiente:

Comportamientos
- Sentado junto a un asiento vacío
- Observar a otros pasajeros
- Leer el periódico

Fuera de la caja
Me veo a mí mismo
y a los demás más o menos
como lo que somos:
Personas

Dentro de la caja
Me veo a mí mismo
y a los demás de forma
sistemáticamente
distorsionada; los demás
son meros Objetos

—Las cosas son así, Tom —dijo Bud, apartándose a un lado de la pizarra para que pudiera ver—. Al margen de lo que uno esté «haciendo» en la superficie, ya sea, por ejemplo, estar sentado, observar a los demás, leer el periódico o lo que sea, me encuentro en una de dos formas fundamentales mientras lo hago. O bien veo a los demás directamente como lo que son, es decir, personas como yo, que tienen necesidades y deseos tan legítimos como los míos, o no los veo así. Según le oí decir a Kate una vez, me experimento a mí mismo como una persona entre la gente, o me experimento a mí mismo como «la persona» entre objetos. En el primer caso, estoy fuera de la caja; en el segundo, estoy dentro. ¿Le parece que eso tiene sentido?

Pensé en una situación que me había ocurrido una semana antes. Alguien de mi departamento se había convertido en una terrible molestia y no acababa de comprender cómo se le podía aplicar aquella distinción de estar dentro o fuera de la caja. De hecho, la situación parecía socavar todo lo que me estaba diciendo Bud.

—No estoy seguro —le dije—. Permítame exponerle una situación para que me indique cómo encaja en lo que me acaba de explicar.

—Me parece muy bien —asintió, sentándose.

—A la vuelta de la esquina, desde donde está mi despacho, hay una sala de conferencias a la que acudo a menudo para pensar y reflexionar sobre las estrategias que convendría seguir. La gente de mi departamento sabe que esa sala es como una especie de segundo despacho para mí, y después de unos pocos altercados ocurridos durante el pasado mes, ahora tienen cuidado de no programar nada en ella sin mi conocimiento previo. La semana pasada, sin embargo, una de las empleadas de mi departamento entró en la sala y la utilizó. Y no sólo eso, sino que borró todas las notas que yo había dejado en el tablero. ¿Aprueba una cosa así?

—No, eso está mal —contestó Bud—. No debería haberlo hecho.

—También a mí me lo pareció. Me sentí furioso. Tardé un tiempo en reconstruir lo que había hecho, y todavía no estoy seguro de haberlo recuperado todo.

Estuve a punto de continuar, de decir cómo llamé inmediatamente a la mujer en cuestión a mi despacho, que me negué a estrecharle la mano y que sin pedirle siquiera que se sentara, le dije que jamás volviera a hacer algo así, si no quería empezar a buscarse un nuevo trabajo.

—¿Cómo encaja esa situación en el autoengaño? —pregunté.

—Bueno —contestó Bud—, déjeme hacerle antes unas pocas preguntas y quizá pueda contestarse usted mismo la cuestión. Dígame qué clase de pensamientos y sentimientos experimentó hacia esa mujer al descubrir lo que había hecho.

—Bueno, supongo que pensé que no había sido muy cuidadosa. De hecho, fue descuidada. —Bud asintió, dirigiéndome una mirada inquisitiva que me invitó a seguir hablando—. Y supongo que pensé que había sido una estupidez por su parte hacer lo que hizo, sin preguntarle antes a nadie. Y también pensé que había sido presuntuosa y abiertamente autosuficiente.

—A mí también me lo parece así —asintió Bud—. ¿Algo más?

—No, al menos que pueda recordar.

—Bien, déjeme preguntarle ahora: ¿sabe para qué quería esa empleada utilizar la sala?

—Pues, la verdad, no. De todos modos, ¿qué importa? Eso no cambia el hecho de que no debería haberla utilizado, ¿verdad?

—Probablemente no —contestó Bud—. Pero veamos otra pregunta: ¿sabe usted su nombre?

La pregunta me pilló por sorpresa. Pensé un momento, pero ningún nombre acudió a mi mente. Ni siquiera estaba seguro de haberlo oído decir. ¿Lo había mencionado mi secretaria? ¿O lo dijo ella misma cuando tendió la mano para saludarme? Mi mente buscó un recuerdo, pero no encontró nada.

«Pero ¿por qué iba a importar eso? —pensé para mis adentros, envalentonado—. Está bien, no sé su nombre, ¿y qué? ¿Me hace eso perder la razón, o qué?»

—No, supongo que no lo sé. En todo caso, no lo recuerdo —admití.

Bud asintió con un gesto de la cabeza, llevándose una mano a la barbilla.

—Veamos ahora la pregunta que realmente quisiera que considerase. Suponiendo que esa mujer sea realmente descuidada, estúpida y presuntuosa, ¿supone usted que es tan descuidada, estúpida y presuntuosa como la acusó de ser cuando sucedió el incidente?

—Bueno, en realidad no la acusé.

—Quizá no con sus propias palabras, pero ¿mantuvo alguna interacción con ella desde que ocurriera el incidente?

Pensé en la gélida acogida que le dispensé cuando la llamé a mi despacho y en mi negativa a estrecharle la mano.

—Sí, tan sólo una vez —contesté, algo más dócilmente.

Bud tuvo que haber percibido el cambio en mi tono de voz porque se adaptó en seguida y bajó ligeramente su propio tono de voz y desapareció su actitud práctica.

—Tom, quisiera que se imaginara que usted era ella cuando se encontraron. ¿Qué cree que sintió ella hacia usted?

La respuesta, claro está, era evidente. No podía haber sentido nada peor hacia mí si la hubiese golpeado con un bate de béisbol. Aunque hasta entonces apenas la había tenido en cuenta, recordé ahora el temblor de su voz y sus pasos inseguros y apresurados al abandonar mi despacho. Me pregunté ahora, por primera vez, cuánto daño tuve que haberle causado y qué debía de estar sintiendo. Imaginé que debía de sentirse insegura y preocupada, sobre todo porque todo el personal del departamento parecía estar enterado de lo ocurrido.

—Sí —dije lentamente—, ahora que lo pienso, me temo que no supe manejar muy bien la situación.

—Regresemos a mi pregunta anterior —siguió diciendo Bud—. ¿Cree que su visión de esa mujer en aquel momento la hizo sentirse sistemáticamente peor de lo que ya se sentía?

Hice una pausa antes de contestar, no porque no estuviera seguro de la respuesta, sino porque quería recuperar la calma.

—Quizá. Supongo que sí. Pero eso no cambia el hecho de que ella hizo algo que no debería haber hecho, ¿verdad? —me apresuré a añadir.

—En modo alguno. Pero ya llegaremos a eso. Ahora, la pregunta que deseo que se haga es: dejando al margen si lo que hizo esa mujer fue correcto o incorrecto, la visión que tuvo usted de ella, ¿fue más parecida a la que tuve yo de la gente en el avión, o más parecida a la que tuvo la mujer del otro avión sobre nosotros?

Me quedé allí sentado, pensando por un momento en eso.

—Piénselo del siguiente modo —añadió Bud, señalando el esquema dibujado en la pizarra—. ¿Consideró a la mujer como una persona con esperanzas y necesidades similares a las suyas, o fue un objeto para usted, una amenaza, una molestia o un problema?

—Supongo que debió de haber sido sólo un objeto para mí —contesté finalmente.

—Así que ahora, ¿cómo cree que se aplicaría lo que hemos hablado sobre el autoengaño? ¿Diría que estaba usted dentro o fuera de la caja?

—Supongo que, probablemente, estaba dentro —contesté.

—Merece la pena pensar en ello, Tom. Porque esa distinción —añadió, indicando el diagrama— revela lo que hay por debajo del éxito de Lou, y también de Zagrum. Precisamente porque Lou solía estar fuera de la caja, era capaz de ver las cosas directamente. Veía a los demás como lo que eran: personas. Y descubrió una forma de construir una empresa de personas, que de ese modo comprendían las cosas en mucha mayor medida que las personas de la mayoría de organizaciones. Si quiere conocer el secreto del éxito de Zagrum, es el hecho de que hemos desarrollado una cultura en la que, simplemente, invitamos a las personas a ver a los demás como personas. Y al ser consideradas y tratadas de ese modo directo, la gente responde en consecuencia. Eso fue lo que sentí y lo que le devolví a Lou.

Todo eso me sonaba muy bien, pero me parecía demasiado simplista como para ser el elemento que distinguía a Zagrum.

—Las cosas no pueden ser tan sencillas, ¿verdad, Bud? Quiero decir, si el secreto de Zagrum fuera tan elemental, todo el mundo nos habría imitado a estas alturas.

—No me malinterprete —dijo Bud—. No desprecio en modo alguno la importancia de, por ejemplo, conseguir empleados inteligentes y habilidosos, trabajar largas y duras horas, o cualquier otra serie de cosas que son importantes para el éxito de Zagrum. Pero observe que las demás empresas han imitado todas esas cosas y, sin embargo, no han logrado alcanzar nuestros resultados. Y eso se debe a que, sencillamente, no saben hasta qué punto la gente inteligente trabaja de forma más inteligente, los habilidosos de forma más habilidosa, y los decididos a trabajar seriamente trabajan seriamente cuando ven y son vistos de un modo directo, como personas.

»Y no olvide —añadió—, que el autoengaño es un tipo de problema particularmente difícil. Un problema que las organizaciones son incapaces de ver, en la medida en que se hallan dominadas por el autoengaño, como les sucede a la mayoría de ellas. Ello quiere decir que la mayoría de organizaciones se encuentran dentro de la caja.

Aquella afirmación pareció quedar colgando en el aire mientras Bud tomaba el vaso y bebía un sorbo de agua.

—Y a propósito —añadió Bud—, la mujer se llama Joyce Mulman.

—¿Quién…, qué mujer?

—La persona a la que se negó a darle la mano. Se llama Joyce Mulman.

7

Personas u objetos

—¿*C*ómo la conoce? —le pregunté, preocupado, sin poder evitar que la expresión de mi rostro se desconectara de mis emociones—. ¿Y cómo estaba enterado de lo ocurrido?

Bud me sonrió tranquilizadoramente.

—No se deje engañar por la distancia que hay entre los edificios de la empresa. Las palabras viajan con rapidez. Se lo oí comentar a dos de sus jefes del equipo de control de calidad, que hablaron del tema mientras almorzaban en la cafetería del edificio 5. Parece ser que causó usted una gran impresión.

Recuperé algo la calma y conseguí alejar de mi rostro la expresión de alarma.

—En cuanto a conocerla —siguió diciendo Bud—, en realidad no la conozco. Lo que sucede es que procuro conocer los nombres de tantas personas de la empresa como puedo, a pesar de que resulta cada vez más difícil con tanto crecimiento mensual como experimentamos.

Asentí para demostrar que estaba de acuerdo con eso, aunque me impresionaba que alguien que ocupaba el puesto de Bud se esforzara por conocer el nombre de alguien que ocupaba el nivel de Joyce en la empresa.

—¿Recuerda esas fotografías que se toman para las tarjetas de identidad en las conferencias? —Asentí con un gesto—. Pues bien, los miembros del equipo ejecutivo recibimos copias de todas esas fotografías y tratamos de familiarizarnos con los rostros y los nombres de todas las personas que ingresan en la empresa, aunque no podamos memorizarlas por completo.

»He descubierto —siguió diciendo Bud— que si no me interesa por conocer el nombre de una persona, probablemente no estaré realmente interesado por ella como persona. Al menos, eso es lo que me sucede. Para mí, equivale a la prueba de fuego. Ello no quiere decir, sin embargo, que funcione necesariamente también a la inversa; es decir, puedo aprender y conocer los nombres de las personas y eso no evitará que sean objetos para mí. Pero si ni siquiera estoy dispuesto a realizar el esfuerzo de recordar el nombre de alguien, eso, en sí mismo, ya es para mí una indicación de que probablemente trato a esa persona como un objeto y de que estoy metido en la caja. En cualquier caso, esa es la razón por la que conozco a Joyce, o al menos la medida en que la conozco.

Mientras Bud hablaba, mi mente realizaba un apresurado inventario del personal que trabajaba en mi departamento. Me di cuenta de que en mi organización había aproximadamente 300 personas, de las cuales sólo conocía a unas treinta por su nombre. «¡Pero sólo llevo aquí un mes! ¿Qué más se podría esperar de mí?», me dije, a modo de protesta. En el fondo de mí mismo, sin embargo, sabía que no se trataba de eso. Sabía que Bud acababa de decir algo de sí mismo que también se me aplicaba a mí. La cantidad de tiempo que llevaba trabajando en Zagrum no era más que una forma de apartar mi atención de lo verdaderamente importante: que no había hecho ningún esfuerzo por conocer el nombre de todos. Ahora, al pensar en ello, me pareció claro que mi falta de interés en un tema tan básico como conocer el nombre de los demás, constituía una clara indicación de que probablemente no los veía como a personas.

—Supongo que piensa que metí la pata —dije, volviendo a pensar en Joyce.

—Lo que yo piense no es importante. Lo realmente importante es lo que piense usted.

—Bueno, tengo sentimientos encontrados. Por un lado, creo que le debo una disculpa a Joyce. Pero, por el otro, sigo pensando que no debería haber entrado en aquella sala y borrado nada sin consultarlo antes.

Bud asintió con un gesto.

—¿Le parece posible tener razón en ambos aspectos?

—¿Qué? ¿Tener razón y estar equivocado al mismo tiempo? ¿Cómo puede ser eso?

—Bueno, piénselo del siguiente modo —propuso Bud—. Dice que Joyce no debería haber entrado en la sala y borrado cosas escritas por otro sin consultar antes si podía hacerlo. ¿Es así?

—Así es.

—Y eso es algo que a mí también me parece perfectamente razonable. Por otro lado, dice que lo correcto en esa situación sería decirle que no volviera a hacerlo, ¿no es cierto?

—Al menos, es lo que me parece.

—A mí también —asintió Bud.

—Entonces ¿qué fue lo que hice mal? —pregunté—. Porque eso fue exactamente lo que hice.

—En efecto, eso fue lo que hizo —admitió Bud—, pero queda por contestar otra pregunta: ¿estaba usted dentro o fuera de la caja cuando lo hizo?

De repente, se me encendió una luz.

—Ah, ya comprendo. No se trata de que hiciese necesariamente algo mal, sino de que, aun siendo lo correcto, lo hice del modo equivocado. Veía a Joyce como un objeto. Estaba dentro de la caja. Eso es lo que me está usted diciendo.

—Exactamente. Y si hace lo que superficialmente pueda considerarse como correcto, pero desde dentro de la caja, invita a recibir del otro una respuesta totalmente diferente y menos productiva que la que obtendría si estuviese fuera de la caja. Porque, recuérdelo, la gente responde principalmente no a lo que usted hace, sino a cómo lo hace, es decir, a si está dentro o fuera de la caja.

Aquello parecía tener sentido, pero no estaba muy seguro de que fuese realista para el trabajo en la empresa.

—¿Hay algo que le preocupa? —me preguntó Bud.

—En realidad no —contesté sin mucha convicción—. Bueno, sí, me debato internamente con una cosa.

—Adelante, expóngala.

—No hago más que preguntarme cómo se puede dirigir una empresa considerando continuamente a los demás como personas. Quiero decir, ¿no acaba uno por verse arrollado con esa actitud? Quizá sea algo adecuado para aplicar en la vida familiar, por ejemplo, pero ¿no le parece poco realista pensar que hay que ser de ese modo también en el trabajo, donde se tiene que actuar con rapidez y decisión?

—Me alegro de que lo pregunte, porque precisamente de eso quería hablar a continuación. Primero, quisiera que pensase en Joyce, en la forma que tuvo de manejar la situación. Imagino que, a partir de ahora, no volverá a utilizar nunca la sala de conferencias.

—Probablemente no.

—Y puesto que eso es lo que deseaba transmitirle, quizá crea que su entrevista con ella fue un éxito.

—En cierto modo sí, creo que eso es correcto —dije, sintiéndome un poco mejor respecto a lo que había hecho.

—Es bastante justo —siguió diciendo Bud—. Pero pensemos un poco y vayamos más allá de la sala de conferencias. ¿Cree usted que al estar en la caja cuando le transmitió ese mensaje la invita a ser más o menos creativa y entusiasta en su trabajo?

La pregunta de Bud supuso toda una revelación para mí. De repente, me di cuenta de que, para Joyce Mulman, yo me había comportado como Chuck Staehli. Recuerdo una ocasión en que Staehli que, desde mi punto de vista, estaba siempre metido en la caja, me reprendió duramente, por lo que sé de primera mano lo desmotivador que puede ser eso, como consecuencia de haber trabajado con él. Para Joyce, yo no debía de ser muy distinto de Staehli. Esa idea me resultó terriblemente deprimente.

—Supongo que tiene usted razón. Quizá resolviera el problema de la sala de conferencias, pero seguramente he creado otros problemas con mi actitud —contesté.

—Merece la pena pensar un poco en ello —admitió Bud con un gesto de asentimiento—. Pero, en realidad, la pregunta planteada profundiza algo más. Veamos cómo podemos enfocarla.

Bud se levantó de nuevo y reanudó su paseo por la sala, primero por la derecha y luego por la izquierda. Pareció a punto de hacerme una pregunta, pero se detuvo y se llevó una mano a la cara, aparentemente sumido en sus propios pensamientos. Luego dijo:

—Vamos a ver, explíqueme con sus propias palabras qué es lo que entiende como estar… —Se detuvo de pronto en medio de la frase y dejó de pasear—. Lamento la indecisión en este punto, Tom —dijo—. La cuestión es tan importante que deseo estar seguro de abordarla de la forma más útil que pueda.

»Intentémoslo de la siguiente manera: su planteamiento presupone que nuestras actitudes cuando estamos fuera de la caja son "blandas", mientras que cuando estamos dentro son "duras". Imagino que por eso se pregunta si se puede dirigir una empresa estando fuera de la caja durante todo el tiempo. ¿Es la distinción entre estar dentro o fuera de la caja algo que tiene que ver con el comportamiento?

Pensé por un momento en ello. No estaba seguro, pero daba la impresión de que suponía una gran diferencia en cuanto al comportamiento.

—No estoy seguro —contesté de todos modos.

—Bueno, veamos el esquema —dijo Bud, señalando lo que había dibujado antes en la pizarra—. Recuerde que la mujer del avión y yo mostramos los mismos comportamientos exteriores, pero nuestras experiencias fueron completamente diferentes: yo estaba en la caja y ella fuera.

—De acuerdo —asentí con un gesto.

—Aquí encontramos entonces un problema evidente, cuyas implicaciones son importantes —siguió diciendo Bud—. En este esquema, ¿dónde aparecen indicados los comportamientos?

—Bueno, en la parte superior —contesté.

—¿Y dónde se indican las formas de corresponder a estar dentro y a estar fuera de la caja?

—En la parte más baja del esquema.

—Sí —asintió Bud, apartándose de la pizarra y volviéndose a mirarme—. ¿Y qué implicación tiene eso?

No sabía lo que andaba buscando y me quedé en silencio, buscando a tientas una respuesta.

—Lo que quiero decir —añadió Bud— es que este esquema sugiere que hay dos formas de hacer… ¿qué?

Examiné el esquema y entonces me di cuenta.

—Ah, sí, hay dos formas de realizar el comportamiento.

—Entonces sigue en pie la pregunta: la distinción de la que estamos hablando ¿es fundamentalmente una distinción de comportamiento o se trata de algo más profundo?

—Es algo más profundo —contesté.

—Bien, pensemos ahora un momento en Lou. ¿Cómo caracterizaría usted el comportamiento que tuvo conmigo? Recuerde que en un foro público, delante de mis colegas, me relevó de una responsabilidad que yo no había logrado cumplir, a pesar de que había hecho todo lo demás que me pidió. Y luego, me preguntó si volvería a dejarlo alguna vez en la estacada. ¿Cómo caracterizaría ese comportamiento hacia mí? ¿Diría que fue blando o duro?

—Clarísimamente, sería duro —contesté—. Incluso muy duro.

—Sí, pero ¿estaba dentro o fuera de la caja cuando lo hizo?

—Fuera de la caja, claro.

—¿Y qué me dice de usted? ¿Cómo caracterizaría su comportamiento con Joyce? ¿Fue duro o blando?

—También duro, y posiblemente demasiado duro —contesté, removiéndome ligeramente en la silla.

—¿Lo ve? —preguntó Bud mientras se acercaba a su asiento, frente a mí—. Hay dos formas de ser duro. Puedo tener un comportamiento duro y, sin embargo, estar fuera o dentro de la caja. La distinción, por tanto, no se encuentra en el comportamiento, sino en la forma de ser cuando hago lo que estoy haciendo, ya sea blando o duro.

»Veamos otra forma de enfocarlo —continuó—. Si estoy fuera de la caja, veo a los demás como personas. ¿Le parece así?

—Sí —contesté.

—Entonces, la pregunta es: ¿acaso lo que una persona necesita es siempre blandura?

—No, supongo que no. A veces las personas necesitan un poco de dureza como estímulo —contesté con una seca sonrisa.

—En efecto, y su situación con Joyce es un ejemplo perfecto de ello. Ella necesitaba que se le dijera que había hecho mal en borrar las notas de otras personas, y cabe suponer que transmitir esa clase de mensaje puede considerarse como duro desde el punto de vista del comportamiento. La cuestión que examinamos es que resulta posible transmitir esa clase de mensaje duro y seguir estando fuera de la caja cuando lo hacemos. Pero sólo se puede estar fuera de la caja si quien recibe el mensaje es una *persona* para quien lo transmite. Eso es lo que significa estar fuera de la caja. Y veamos ahora la razón de que esto sea tan importante: ¿qué mensaje duro invitó a ofrecer una respuesta más productiva, el de Lou o el suyo?

Pensé de nuevo en lo desmotivador que era trabajar para Chuck Staehli y en cómo, muy probablemente, yo había ejercido sobre Joyce la misma influencia que Chuck ejerciera sobre mí.

—El de Lou —contesté—. Está claro.

—A mí también me lo parece así —asintió Bud—. Así que, por lo que se refiere al comportamiento duro, las alternativas parecen claras: podemos ser duros e invitar al otro a la productividad y el compromiso, o podemos ser duros e invitarle a adoptar una actitud de resistencia y mala voluntad. No se trata, pues, de decidir entre ser duro o no serlo, sino de estar en la caja o no.

Bud miró su reloj.

—Ahora son las once y media, Tom. Tengo una propuesta que hacerle. Si a usted le parece bien, me gustaría interrumpir la reunión durante aproximadamente una hora y media.

Miré sorprendido el reloj. No tenía la impresión de que hubiesen transcurrido ya dos horas y media, pero de todos modos me sentí agradecido por el respiro.

—Desde luego —dije—. ¿Nos reunimos de nuevo a la una, aquí mismo?

—Sí, eso sería estupendo. Recuerde lo que hemos tratado hasta el momento: hay algo más profundo que el comportamiento, que es lo que determina la influencia que ejercemos sobre los demás, y ese algo es si estamos dentro o fuera de la caja. No sabe usted todavía mucho sobre la caja, pero cuando estamos dentro tenemos una visión distorsionada de la realidad y no podemos ver con claridad ni a nosotros mismos ni a los demás. Nos autoengañamos. Y eso crea una gran cantidad de problemas para todos aquellos que nos rodean.

»Teniendo eso en cuenta —siguió diciendo—, quisiera que hiciese algo por mí antes de la una. Quisiera que piense en la gente de Zagrum, tanto la que pertenece a su departamento como la que no, y se pregunte si está usted dentro o fuera de la caja con respecto a cada uno de ellos. Y no trate a las personas en las que piense como una masa de gente. Piense en ellos como individuos. Es posible estar simultáneamente en la caja con respecto a una determinada persona y fuera de la caja respecto de otra. Piense en las personas.

—Está bien, lo haré. Gracias, Bud. Todo esto ha sido muy interesante. Me ha dado muchas cosas en las que pensar —le dije mientras me levantaba.

—Pues eso no es nada comparado con todo lo que tendrá que pensar esta tarde —me dijo sonriendo.

8
Dudas

*E*l sol de agosto era abrasador mientras recorría de regreso el sendero junto al Kate's Creek. A pesar de haber nacido en St. Louis y haber vivido durante años en la costa Este, había pasado tiempo suficiente en climas más suaves como para sentirme bastante incómodo con la humedad del calor veraniego de Connecticut. Me agradó avanzar bajo la sombra de los árboles, en dirección al edificio 8.

Pero para la desolación interior que sentía no hallaba refugio. Me encontraba en terreno completamente desconocido. Nada de lo experimentado hasta entonces en mi carrera me había preparado para una entrevista como la que acababa de tener con Bud. Pero aunque me notaba muy inseguro y mucho menos convencido que unas horas antes de estar entre el puñado de ejecutivos que dirigía Zagrum, tampoco me había sentido nunca tan bien acerca de lo que estaba haciendo. Sabía que durante esta pausa había algo que tenía que hacer y sólo confiaba en encontrar a Joyce Mulman para poder hacerlo.

—Sheryl, ¿puede indicarme dónde está el despacho de Joyce Mulman? —le pregunté a mi secretaria al pasar ante ella y entrar en mi despacho.

Tras dejar el bloc de notas sobre la mesa y volverme, vi que Sheryl estaba de pie ante la puerta, con una expresión de preocupación en su rostro.

—¿Ocurre algo malo? —preguntó lentamente—. ¿Es que Joyce ha vuelto a hacer algo?

Las preguntas de Sheryl implicaban cierta preocupación por

mí, pero su actitud ponía de manifiesto la preocupación que en realidad sentía por Joyce, como si quisiera protegerla de una inminente tormenta si tuviera la oportunidad. Y a mí me sorprendió la suposición, implícita en su pregunta, de que si deseaba ver a alguien debía de ser porque esa persona había hecho algo mal. Mi entrevista con Joyce podía esperar un momento. Antes tenía que hablar con Sheryl.

—No, no ocurre nada malo —contesté—. De todos modos, entre un momento, porque hay algo de lo que deseo hablar con usted. Siéntese —le pedí, al ver que se mostraba indecisa. Rodeé la mesa y me senté frente a ella—. Soy nuevo aquí —empecé diciendo—, y usted todavía no ha tenido muchas oportunidades de conocerme bien. Por eso necesito que sea absolutamente franca conmigo.

—Está bien —dijo, un tanto evasivamente.

—¿Le gusta trabajar conmigo? Quiero decir, en comparación con otras personas para las que haya trabajado antes, ¿diría que soy un buen jefe?

Sheryl se removió en el asiento, evidentemente incómoda con la pregunta.

—Desde luego —contestó con un tono de voz demasiado vehemente—. Claro que me gusta trabajar con usted. ¿Por qué?

—Era una simple curiosidad —contesté—. Así que le gusta trabajar para mí. —Ella asintió, sin mucha convicción—. Pero ¿diría que le gusta trabajar para mí tanto como le gustó trabajar para otros?

—Oh, claro —contestó con una sonrisa forzada, bajando la mirada—. Me he sentido a gusto con todas las personas para las que he trabajado.

Mi pregunta dejó a Sheryl en una situación imposible. Era extremadamente injusto. Pero ya conocía la respuesta que buscaba: no le caía muy bien. La verdad se traslucía en su actitud de forzada naturalidad y en los movimientos que dejaban adivinar su incomodidad. Pero no experimenté rencor alguno hacia ella.

Por primera vez en un mes, sentí pena, y también me sentí un tanto azorado.

—Está bien, Sheryl, gracias —le dije—. Pero empiezo a tener la sensación de que probablemente ha sido un tanto horrible trabajar conmigo.

Ella no dijo nada.

Levanté la mirada y creí observar cómo se formaba un velo de humedad en sus ojos. ¡Sólo había trabajado cuatro semanas con ella y ya estaba a punto de ponerse a llorar! Me sentí como el mayor de los canallas.

—Lo siento de veras, Sheryl. Realmente lo siento. Creo que tengo que desaprender ciertas cosas. Creo que he estado ciego a algunas de las cosas que les hago a las personas. Todavía no sé gran cosa al respecto, pero estoy empezando a darme cuenta de que menoscabo a los demás, de que no los veo como personas. ¿Sabe usted de qué estoy hablando? —Ante mi sorpresa, ella asintió—. ¿Lo sabe?

—Claro. ¿Es por lo de la caja, el autoengaño y todo eso? Sí, aquí es algo que todos sabemos.

—¿Acaso Bud habló también con usted?

—No, no fue Bud. Él se reúne personalmente con todos los nuevos directores. Aquí organizan una clase por la que pasamos todos y en la que aprendemos las mismas cosas.

—¿De modo que sabe lo de la caja, lo de ver a los demás como personas o verlos como objetos?

—Sí, y lo de la autotraición, la connivencia, cómo salir de la caja, cómo concentrarse en los resultados, los cuatro niveles de rendimiento organizativo y todo lo demás.

—No creo haber aprendido todavía nada de todo eso. Al menos, Bud no me lo ha dicho aún. ¿Cómo era eso…, la auto…?

—Traición —terminó de decir Sheryl—. Así es como acabamos en la caja. Pero no quiero estropearle lo que viene a continuación. Por lo visto, parece que usted acaba de empezar a saberlo.

Ahora sí que me sentía realmente como un cretino. Una cosa era tratar a otra persona como si fuera un objeto si esa persona era tan ignorante de todas esas ideas como lo había sido yo mismo. Pero al conocer lo de la caja, probablemente Sheryl me había visto venir desde el principio.

—Vaya, lo más probable es que le haya parecido como el mayor de los idiotas, ¿verdad?

—No, no el mayor —dijo Sheryl con una sonrisa.

Su broma tuvo la virtud de aligerar mi estado de ánimo y me eché a reír. Probablemente, era la primera risa que se cruzaba entre nosotros en las cuatro semanas que llevábamos trabajando juntos. Dejándome llevar por la naturalidad del momento, me pareció una pena dejar pasarlo y le dije:

—Quizá para esta tarde ya sepa qué hacer al respecto.

—Quizá ya sabe más de lo que cree saber —dijo ella—. Y, a propósito, Joyce trabaja en el segundo piso, cerca de la columna marcada «8-31».

Al pasar junto al cubículo de Joyce, lo encontré vacío. «Probablemente se ha ido a almorzar», pensé. Estaba a punto de marcharme cuando me lo pensé mejor. «Si no hago esto ahora, ¿quién sabe si podré hacerlo alguna vez?» Así que me senté en la silla extra que había en el cubículo y esperé.

El cubículo estaba lleno de fotografías de dos niñas pequeñas, quizá de unos tres y cinco años de edad. Y había dibujos infantiles de rostros felices, salidas de sol y arcos iris. Podría haber estado sentado en una guardería, de no haber sido por los montones de gráficos e informes que había amontonados por el suelo.

No estaba seguro de saber qué hacía Joyce en la organización, en mi organización, lo que en ese momento me pareció algo bastante patético, pero a juzgar por el montón de informes supuse que pertenecía a uno de nuestros equipos de calidad de producto. Estaba examinando uno de los informes cuando ella dobló la esquina y me vio.

—Oh, señor Callum —exclamó, conmocionada, deteniéndose de improviso y llevándose las manos a la cara—. Lo siento. Siento mucho todo este desorden. En realidad, no suele estar así.

Evidentemente, la había pillado desprevenida. Probablemente yo era la última persona que esperaba ver en su cubículo.

—No se preocupe por eso. De todos modos, no es nada comparado con mi propio despacho. Y, por favor, llámeme Tom.

Pude observar claramente la confusión reflejada en su cara. Al parecer, no sabía qué decir o hacer a continuación. Se quedó allí de pie, a la entrada de su cubículo, temblando.

—Yo..., bueno, he venido a disculparme, Joyce, por lo mal que la traté el otro día sobre la sala de conferencias y todo eso. Mi actitud no fue nada profesional y créame que lo siento.

—Oh, señor Callum, yo... me lo merecía, realmente me lo merecía. Jamás debería haber borrado sus cosas. Me sentí muy mal por eso, tanto que llevo una semana casi sin dormir.

—Probablemente, yo debería haber encontrado una forma de manejar el asunto sin necesidad de provocarle ese insomnio.

Joyce esbozó una ligera sonrisa, como si dijera: «Oh, ¿de veras lo cree así?». Bajó la mirada al suelo y movió un pie. Había dejado de temblar.

Eran las 12.30. Me quedaban por lo menos veinte minutos antes de regresar para continuar la entrevista con Bud. Me sentía bastante a gusto y decidí llamar a Laura.

—Laura Callum —dijo la voz al otro lado de la línea.

—Hola —le dije.

—Tom, sólo tengo un momento. ¿Qué necesitas?

—Nada. Sólo quería saludarte.

—¿Marcha todo bien? —me preguntó.

—Sí, estupendamente.

—¿Estás seguro?

—Sí, ¿o es que no puedo llamarte para saludarte sin que me interrogues?

—Bueno, tú no sueles llamar para eso. Tiene que estar ocurriendo algo.

—Pues no, no ocurre nada. De veras.

—Está bien…, si tú lo dices.

—Vamos, Laura, ¿por qué haces que las cosas sean tan difíciles? Sólo te llamaba para saber cómo estás.

—Pues… estoy bien. Y, de todos modos, gracias por tu preocupación —dijo, llenando la voz de una nota de sarcasmo.

De repente, todo lo que Bud me había dicho aquella mañana me pareció demasiado ingenuo y simplista. La caja, el autoengaño, personas u objetos…, todas aquellas ideas quizá pudieran aplicarse en algunas situaciones, pero no en ésta, por ejemplo. Y aunque se pudieran aplicar a ésta, ¿a quién le importaba?

—Estupendo. Eso es sencillamente estupendo. Espero que tengas una tarde muy agradable —le dije con su mismo tono sarcástico ligeramente aumentado—. Y también espero que seas tan alegre y comprensiva con todo el mundo como lo eres conmigo.

La comunicación se cortó.

«No cabe la menor duda, estoy en la caja», pensé mientras colgaba el teléfono. «¿Y quién no lo estaría, casado con alguien como ella?»

Regresé al edificio central lleno de preguntas en mi cabeza. «Lo primero de todo: ¿y si alguien más está en la caja? ¿Qué hacer entonces? Como con Laura; no importa lo que yo haga. Simplemente, la llamé para hablar con ella. Y en ese momento yo también estaba fuera de la caja. Pero luego, de forma rápida e indiferente, me lanzó un golpe bajo, como suele hacer. Es ella la que tiene un problema. No importa lo que yo haga. Aunque yo esté dentro de la caja, ¿qué? ¿Qué otra cosa cabría esperar?

»Está bien, he tenido un par de buenas experiencias con Sheryl y Joyce y parece haber funcionado. Pero ¿qué más van a hacer ahora? Yo dirijo el departamento. Ellas tienen que cumplir con su obligación. ¿Y qué pasa por el hecho de que Sheryl se hubiese puesto a llorar? ¿Por qué iba a ser culpa mía? Ella tiene que ser más resistente. Es comprensible que un ser tan débil se eche a llorar, o al menos yo no debería sentirme culpable si lo hace.»

Mi sensación de cólera crecía a cada paso que daba. «Esto es una completa pérdida de tiempo. Es todo tan ingenuo. Vale, tal vez en un mundo perfecto, sí. Pero ¡diantres, esto es una empresa!»

En ese preciso momento oí que alguien pronunciaba mi nombre y me volví hacia el lugar de donde procedía la voz. Ante mi sorpresa, vi a Kate Stenarude, que se dirigía hacia mí cruzando el césped.

SEGUNDA PARTE

Cómo entramos en la caja

9

Kate

*S*ólo había estado con Kate una vez. Ella fue la última de mis ocho entrevistadores. Me agradó en seguida, y desde entonces había averiguado que eso mismo le sucedía a casi todo el mundo en la empresa. Su historia era en cierto modo la de Zagrum y, como sucedía con la de la empresa, se contaba y se transmitía a los empleados recién llegados. Entró a formar parte de la empresa en cuanto terminó sus estudios, creo que en el Williams College, hacía ya unos veinticinco años, con un título en historia. Fue una de las primeras veinte empleadas de Zagrum y empezó tomando pedidos. En aquellos tiempos parecía como si el futuro de la empresa estuviera rodeado de constantes dudas. Después de cinco años, convertida ya en directora de ventas de Zagrum, Kate se marchó en busca de una mejor oportunidad, aunque terminó por cambiar de idea gracias a una petición personal del propio Lou. Desde entonces y hasta la jubilación de Lou, Kate había sido la segunda al mando en Zagrum, la «mano derecha» de Lou, por así decirlo. Una vez que él se jubiló, fue nombrada presidenta ejecutiva.

—Hola, Tom —me saludó, tendiéndome la mano—. Es agradable verle de nuevo. ¿Le trata bien la vida?

—Sí, no puedo quejarme —contesté, haciendo un esfuerzo para ignorar, por el momento, tanto mi sorpresa por encontrármela como por el desastre en que se había convertido mi vida familiar—. ¿Y a usted?

—Me temo que nunca hay un momento para aburrirse —contestó con una risita.

—Casi no puedo creer que recuerde usted quién soy —le dije.

—¿Qué? ¿Olvidar a un socio de los St. Louis Cardinals? Nunca. Además, acudo para reunirme con usted.

—¿Conmigo? —pregunté con incredulidad, señalándome el pecho con un dedo.

—Así es. ¿Bud no le dijo nada?

—No, o al menos no lo creo, y estoy seguro de que lo recordaría si me lo hubiera dicho.

—Bueno, quizá pretendía darle una sorpresa. Imagino que se la he echado a perder —dijo con una mueca burlona sin que, al parecer, lo lamentara—. No tengo muchas oportunidades de tomar parte en estas sesiones, aunque lo intento si me lo permite mi agenda. En realidad, es lo que más me gusta de todo.

—¿Reuniones sin fin para hablar de los problemas de la gente? —pregunté en tono jocoso.

—¿Cree acaso que es eso lo que está sucediendo? —me preguntó con una ligera sonrisa en los labios.

—No, sólo bromeaba. En realidad, es todo bastante interesante, aunque tengo algunas cuestiones que plantear.

—Bien. Esperaba que fuera así. Y está usted con la persona adecuada. No hay nadie mejor que Bud para aprender todo esto.

—No obstante, tengo que decir que me asombra que usted y Bud vayan a pasar toda la tarde conmigo. Quiero decir, ¿no tienen una forma más importante de utilizar su tiempo?

Kate se detuvo de pronto y, del mismo modo repentino, hubiera querido retirar aquella pregunta. Ella me miró con seriedad.

—Quizás esto le parezca extraño, Tom, pero no hay, realmente, nada más importante que esto, al menos desde nuestro punto de vista. Casi todo lo que hacemos aquí, en Zagrum, desde nuestras formulaciones de trabajo hasta nuestros procesos de información y nuestras estrategias de medición, todo eso se crea sobre la base de lo que está usted aprendiendo.

«¿Qué tiene que ver todo esto con la medición?», me pregunté. No pude ver relación alguna.

—Pero todavía no cabe esperar que haya desarrollado ya una cierta sensibilidad sobre el tema. Apenas acaba de empezar. De todos modos, creo que sé a qué se refiere. —Reanudó el paso, aunque ahora más lentamente—. Parece un poco excesivo tenernos a Bud y a mí atados a usted durante toda la tarde. Y ciertamente, es un poco excesivo. Yo no necesitaría estar aquí. Bud es mucho mejor explicándolo todo. Lo que sucede es que el tema me agrada tanto que, si pudiera, si no tuviera todas las otras responsabilidades que me atan, estaría presente en cada una de estas reuniones. ¿Quién sabe? Quizás algún día le arrebate a Bud esa responsabilidad —dijo, echándose a reír sólo de pensarlo—. Hoy es una de esas raras ocasiones en las que puedo estar presente, aunque es posible que tenga que salir un poco temprano.

Durante un momento, caminamos en silencio.

—Bueno, dígame cómo han ido las cosas hasta el momento —me preguntó.

—¿Se refiere a mi trabajo?

—A su trabajo, sí, aunque en realidad me refería a su experiencia de hoy. ¿Cómo le ha ido?

—Bueno, aparte de enterarme de que estoy metido en la caja, todo va estupendamente —contesté con una amplia sonrisa.

—Sí, ya sé lo que quiere decir —asintió Kate echándose a reír—. Pero no se lo tome de forma tan rígida. Bud también está en la caja, ¿sabe? —me dijo con una suave sonrisa, tocándome ligeramente el codo—. Y, si le sirve de consuelo, yo también.

—Pero si por lo que parece todo el mundo está en la caja, incluidas personas de tanto éxito como usted y Bud, ¿a qué viene todo esto?

—La cuestión es que, aun cuando a veces estemos en la caja, y probablemente siempre lo estaremos en mayor o menor medida, hemos alcanzado el éxito gracias a las veces y las formas en que aquí, en esta empresa, hemos estado fuera de ella. El propósito de todo esto no es la perfección. Nada más lejos de la realidad. Se trata, simplemente, de mejorar. Mejorar de una forma tan sistemática y concreta, que permita mejorar a su vez al personal de la empresa. Es esa clase de mentalidad de liderazgo, aplicada a todos los niveles de la organización, lo que nos distingue.

»Parte de la razón por la que acudo a estas sesiones siempre que puedo es para recordar algunas cosas. La caja es un lugar lleno de trampas. Seguro que al final de la jornada ya habrá comprendido mucho más al respecto.

—Pero hay una cosa que me tiene perplejo ahora mismo, Kate.

—¿Sólo una cosa? —me preguntó sonriente mientras subíamos la escalera hacia el tercer piso.

—Bueno, quizá más de una, pero ahí va una para abrir boca. Si hay realmente dos formas de ser, la de estar fuera de la caja, en la que veo a la gente como personas, y la de estar dentro de ella, en la que veo a las personas como objetos, ¿qué le hace a uno ser de una forma o de otra? —Estaba pensando en Laura y en lo imposible que es—. Quiero decir, estoy pensando en una situación en la que resulta imposible estar fuera de la caja con respecto a alguien. Realmente imposible.

Daba la impresión de que debía continuar el pensamiento o la cuestión, fuera la que fuese, pero no se me ocurrió nada más que decir, así que me detuve.

—Creo que Bud debería intervenir para contestar esa pregunta —dijo Kate—. Ya hemos llegado.

10

Preguntas

—*H*ola, Tom —me saludó Bud cálidamente en cuanto entramos—. ¿Has almorzado bien?

—En realidad, han ocurrido demasiadas cosas como para almorzar.

—¿De veras? Me encantará saberlas. Hola, Kate.

—Hola, Bud —contestó ella, dirigiéndose hacia la pequeña nevera con zumos—. Siento haberte estropeado la sorpresa.

—No tenía la intención de que fuese ninguna sorpresa. Simplemente, no estaba seguro de que pudieras venir, así que no quise preocupar a Tom. Me alegro de que estés aquí. Y ahora, sentémonos y empecemos. Vamos ya un poco retrasados.

Me instalé en la misma silla que ocupé por la mañana, de espaldas a la ventana, hacia la mitad de la sala de conferencias. Pero, al hacerlo, Kate, que observaba la sala, sugirió que nos sentáramos más cerca de la pizarra. ¿Y quién era yo para discutir?

Kate se acomodó en el asiento más cercano a la pizarra, al otro lado de la mesa, y yo me senté frente a ella, manteniéndome de espaldas a la ventana. Kate le indicó a Bud que se sentara entre los dos, en la cabecera de la mesa.

—Vamos, Bud, tú presides.

—Confiaba en que tú te hicieras cargo. Lo haces mejor que yo —dijo él.

—Oh, no. Sólo acudo de vez en cuando y esto lo diriges tú. Sólo he venido para animarte… y recordar unas pocas cosas.

Bud se sentó como se le había indicado, y él y Kate se sonrieron. Evidentemente, disfrutaban mostrándose amables el uno con el otro.

—Bien, Tom. Antes de pasar a unas pocas cosas nuevas, ¿qué le parece si recuerda para Kate algunas de las que hemos visto hasta ahora?

—Está bien —asentí, procurando sosegar mis pensamientos.

Revisé para Kate lo que Bud me había enseñado sobre el autoengaño: cómo, en cualquier momento dado, estamos dentro o fuera de la caja respecto a los demás; cómo, citando los ejemplos de los vuelos de Bud, podemos realizar aparentemente casi cualquier comportamiento exterior estando dentro o fuera de la caja, pero estar dentro o fuera supone una enorme diferencia en cuanto a la influencia que ejercemos sobre los demás.

—Bud me ha sugerido —seguí diciendo—, que el éxito en una organización se produce en función de si estamos en la caja o no, y que nuestra influencia como líderes también depende de ello.

—Y no se imagina hasta qué punto, se lo puedo asegurar —dijo Kate.

—Creo que yo también empiezo a darme cuenta —dije, queriendo ser agradable—. Pero Bud también dijo que esta cuestión de si estamos dentro o fuera de la caja constituye el verdadero núcleo de la mayoría de problemas que afectan a las personas y que vemos en las organizaciones. Debo admitir que todavía no estoy tan seguro de que eso sea así. Cuando veníamos hacia aquí, usted dijo que los sistemas de información y medición de Zagrum surgen de todo esto y, realmente, no sé cómo puede ser así.

—Seguro que todavía no lo sabe —dijo Bud, que parecía complacido—, pero cuando regrese a su casa esta noche ya habrá empezado a captarlo. Eso es al menos lo que espero. Pero antes de seguir adelante, mencionó usted algo sobre las cosas ocurridas durante la última hora y media. ¿Se trata de algo relacionado con todo lo que hemos hablado?

—Sí, creo que sí.

Pasé a contarles lo ocurrido con Sheryl y Joyce. Bud y Kate parecieron encantados y, tengo que admitirlo, mientras contaba lo ocurrido yo también me sentí un poco cautivado por las experiencias.

—Todo eso salió realmente bien, pero… —Sin pensármelo, estuve casi a punto de lanzarme a hablar de mis problemas con Laura. Apenas pude detenerme a tiempo—. Luego, llamé por teléfono a otra persona —dije.

Bud y Kate aguardaron, a la expectativa.

—No deseo entrar en detalles, no tiene relación directa con lo que estamos haciendo aquí, pero esa persona está bastante metida en la caja. Lo que yo quería hacer era hablar con ella, y eso fue lo que hice. Al llamarla, yo estaba fuera de la caja. Acababa de tener esas dos buenas experiencias contadas antes, y sólo quería llamar y saber cómo estaba esa persona. Pero no me lo quiso permitir. No me permitió permanecer fuera de la caja. Simplemente, me colgó el teléfono. Creo que, en tales circunstancias, hice el trabajo todo lo bien que pude.

Esperaba que Bud o Kate dijeran algo, pero ambos aguardaron en silencio, como invitándome a continuar.

—En realidad, no es gran cosa —seguí diciendo—. Lo que sucede es que me ha confundido un tanto.

—¿Sobre qué? —preguntó Bud.

—Sobre todo este asunto de estar dentro o fuera de la caja. ¿Qué podemos hacer si los demás siguen empeñados en permanecer dentro? Lo que quiero saber es: ¿cómo puede uno estar fuera si alguien se empeña en que uno esté dentro?

Ante esto, Bud se levantó y se frotó la cara con la mano.

—Bien, Tom, vamos a tener que abordar el tema de cómo salimos de la caja. Pero antes quiero que comprenda cómo entramos. Y para eso, nada mejor que contarle una anécdota.

11

Autotraición

—*A*l principio, le parecerá una anécdota un tanto estúpida. Ni siquiera tiene que ver con el trabajo. La aplicaremos al trabajo un poco más adelante. En cualquier caso, sólo es una sencilla anécdota, incluso vulgar, pero que ilustra muy bien cómo entramos en la caja.

»Una noche, hace bastantes años, cuando David todavía era bebé, me despertaron sus gemidos y llantos. Probablemente tendría unos cuatro meses. Recuerdo que miré el reloj. Era la una de la madrugada. En ese instante, tuve la impresión, o la sensación, o el sentimiento de algo, el pensamiento de que debía hacer algo: "Levántate y atiende a David, para que Nancy pueda dormir".

»Esa clase de sensación es muy básica —siguió diciendo Bud—. Todos somos personas. Yo he crecido como persona, lo mismo que usted y Kate. Y cuando estamos fuera de la caja y vemos a los demás como personas, experimentamos una sensación muy básica respecto de los demás; es decir, son como yo, tienen esperanzas, necesidades, preocupaciones y temores. Y de vez en cuando, como resultado de esa sensación surge en nosotros la impresión de que hay cosas que tenemos que hacer por los demás, cosas que deseamos hacer por ellos. ¿Comprende lo que quiero decir?

—Desde luego, está bastante claro —afirmé.

—Pues aquella fue una de tales ocasiones. Sentí el deseo de hacer algo por Nancy. Pero ¿sabe qué pasó? —preguntó retóricamente—. Pues que no hice nada. Simplemente, me quedé allí, en la cama, oyendo llorar a David.

Comprendía perfectamente la situación. Había esperado más de una vez antes de atender a las necesidades de Todd y Laura.

—Podría decirse que traicioné mi «sensación» de lo que debería haber hecho por Nancy —siguió diciendo—. Quizá sea una forma muy fuerte de expresarlo, pero sólo pretendo decir con ello que, al actuar en contra de mi sensación de lo que era apropiado, traicioné mi propio sentido de cómo debería ser con respecto a la otra persona. Así que a eso lo llamamos «autotraición».

Tras decir esto, se volvió hacia la pizarra para escribir.

—¿Le importa que borre este esquema? —me preguntó, indicándome el relativo a las dos formas de realizar el comportamiento.

—No, en absoluto —contesté—. Ya lo he copiado.

En su lugar y en la esquina superior izquierda de la pizarra, escribió lo siguiente:

«Autotraición»

1. Un acto contrario a lo que siento que debería hacer por otro es un acto de «autotraición».

—La autotraición es lo más común que existe en el mundo, Tom —intervino Kate con naturalidad—. Permítame exponerle unos pocos ejemplos más.

»Ayer mismo estuve en el Centro Rockefeller de Nueva York. Entré en el ascensor y la puerta automática empezó a cerrarse cuando vi que otra persona doblaba apresuradamente la esquina y corría hacia la puerta. En ese mismo instante, tuve la sensación de que debía mantener la puerta abierta para que entrara. Pero no lo hice. Simplemente, dejé que se cerrara, y lo último que vi al otro lado fue su mano extendida. ¿Ha pasado alguna vez por una experiencia así?

Tuve que admitir que sí me había sucedido.

—Veamos esta otra situación. Piense en algún momento en que tuvo la sensación de que debía ayudar a su hijo o a su esposa, pero luego decidió no hacerlo. O en alguna ocasión en que sintió que debía pedirle disculpas a alguien y no llegó a hacerlo. O cuando conocía una información que sabía que sería útil para un colaborador, pero decidió reservársela para sí mismo. O sabiendo que tenía que terminar un trabajo para alguien, aunque eso supusiera quedarse hasta muy tarde, decidió marcharse a casa, sin molestarse en decírselo a nadie. Podría seguir con una lista interminable de situaciones parecidas, Tom. Yo he pasado por todas ellas y apuesto a que usted también.

—Sí, me temo que sí —tuve que admitir.

—Pues todas ellas son ejemplos de autotraición, momentos en los que tuve la sensación de que debía hacer algo por los demás, y no lo hice.

Kate hizo una pausa y Bud intervino.

—Piénselo, Tom. No es una idea grandiosa, sino tan sencilla como suena. Pero las implicaciones que se derivan de ella son asombrosas. Y también extraordinariamente complicadas. Permítame explicarme.

»Retrocedamos a la anécdota del bebé que llora. Imagínese el momento. Tuve la sensación de que debía levantarme para que Nancy pudiera seguir durmiendo, pero no lo hice. Simplemente, me quedé allí, en la cama, junto a Nancy.

Mientras Bud hablaba, trazó el siguiente esquema en medio de la pizarra:

Sentimiento: «Levantarme y atender a David
para que Nancy pueda dormir»

ELECCIÓN

Hacerlo   No hacerlo
                       «Autotraición»

—En ese preciso momento —siguió diciendo—, mientras estaba allí acostado oyendo llorar a nuestro hijo, ¿cómo se imagina que empecé a ver y sentir a Nancy?

—Bueno, probablemente ella le pareció perezosa —contesté.

—Está bien, «perezosa» —admitió Bud, añadiéndolo al esquema.

—Desconsiderada —añadí—. Quizá desagradecida respecto de todo lo que usted hacía. Insensible.

—Todo eso se le está ocurriendo con mucha facilidad, Tom —comentó Bud con una seca sonrisa, incluyéndolo en el esquema.

—Sí, supongo que debo de tener muy buena imaginación —asentí, siguiéndole el juego—. No sabría nada de todo esto por experiencia propia.

—No, claro que no lo sabría —dijo Kate—. Como tampoco lo sabrías tú, ¿verdad, Bud? Probablemente, ustedes dos estarían demasiado ocupados durmiendo como para saber nada de todo esto —añadió con una risita burlona.

—Ajá, veo que te incorporas a la batalla —dijo Bud, riéndose—. Pero gracias, Kate. Planteas un punto interesante sobre lo de dormir. —Se volvió hacia mí y me preguntó—: ¿Qué le parece, Tom? ¿Estaba Nancy realmente dormida?

—Oh…, quizá, aunque lo dudo.

—¿Cree entonces que simulaba dormir?

—Eso es lo que supongo —contesté.

Bud escribió en la pizarra: «simuladora».

—Espera un momento, Bud —objetó Kate—. Quizá sólo estuviera dormida, e incluso es muy probable que fuera así, cansada de todo lo que había hecho por ti durante el día —añadió, evidentemente satisfecha con el aguijonazo.

—Está bien, buena observación —asintió Bud con una sonrisa burlona—. Pero recuerda que, en estos momentos, que estuviera dormida o no tiene menos importancia que el hecho de que yo creyera que lo simulaba. Ahora hablamos de mi percepción una vez que me traicioné a mí mismo. Esa es la cuestión.

—Lo sé —admitió Kate con una sonrisa, acomodándose en la silla—. Sólo que me estoy divirtiendo, disfrutando de la protección de estar situada al otro lado. Si se tratara de un ejemplo que me afectara a mí, tendrías muchas cosas que añadir.

—Así pues, desde la perspectiva de ese momento —siguió diciendo Bud, volviéndose a mirarme—, si Nancy fingía estar dormida y dejaba llorar al niño, ¿cómo cree que pude conceptuarla como madre?

—Probablemente, como bastante mala —contesté.

—¿Y como esposa?

—Lo mismo, bastante mala, desagradecida, como alguien que no le hace suficiente caso y todo eso.

Bud también lo añadió al esquema.

—Bien —dijo, apartándose de la pizarra y leyendo lo que había escrito—. Una vez que me hube traicionado a mí mismo, podemos imaginar que empecé a ver a mi esposa como «perezosa», «desagradecida», «que no me hace caso», «insensible», «simuladora», «mala madre» y «mala esposa».

—Vaya, Bud, felicidades —dijo Kate con sarcasmo—. Te las has arreglado para vilipendiar por completo a una de las mejores personas que conozco.

—Lo sé. Asusta, ¿verdad?

—Es lo menos que diría.

—Pero lo peor de todo es que, efectivamente, fue así como empecé a ver a Nancy —dijo Bud—. Y, después de haberme traicionado, ¿cómo cree que empecé a verme a mí mismo?

—Oh, probablemente empezaste a verte como la víctima —dijo Kate—, como el pobre hombre que no podía dormir todo lo que necesitaba.

—Así es, en efecto —asintió Bud, que añadió el término «víctima» al esquema.

—Y hasta es posible que se considerase como alguien que

trabaja duro —añadí—. Probablemente, el trabajo que tuviera que hacer a la mañana siguiente le pareció bastante importante.

—Bien, Tom, así es —admitió Bud, añadiendo «trabajador» e «importante». Luego, tras una breve pausa, preguntó—: ¿Qué le parece lo siguiente? ¿Y si resulta que me había levantado la noche anterior para atender a David? ¿Cómo cree que me habría visto a mí mismo en tal caso?

—Oh, como alguien «justo» —contestó Kate.

—De acuerdo. ¿Y lo siguiente? —añadió él—. ¿Quién es lo bastante sensible como para escuchar el llanto del niño?

Tuve que echarme a reír. Todo aquello, la forma en que Bud veía a Nancy y a sí mismo, me parecía por un lado absurdo y risible, pero por el otro lado bastante común.

—Bueno, es evidente que en este caso fue usted la persona más sensible —le dije.

—Y si soy sensible para escuchar a mi hijo, ¿qué opinión cree que tengo de mí mismo como padre?

—Que eres un buen padre —contestó Kate.

—En efecto. Y si me considero todo eso —dijo, señalando la pizarra—, si me veo como «trabajador», «justo», «sensible» y como «buen padre», ¿qué opinión puedo tener de mí mismo como esposo?

—Que eres un verdadero buen esposo, sobre todo porque tienes que soportar a una esposa como la que crees tener —contestó Kate.

—Así es —admitió Bud, añadiéndolo al esquema—. Veamos entonces qué tenemos aquí.

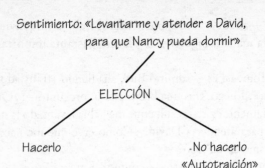

Sentimiento: «Levantarme y atender a David,
para que Nancy pueda dormir»

ELECCIÓN

Hacerlo   No hacerlo
                                 «Autotraición»

Cómo empecé a verme a mí mismo	Cómo empecé a ver a Nancy
Víctima	Perezosa
Trabajador	Desconsiderada
Importante	Desagradecida
Justo	Insensible
Sensible	Simuladora
Buen padre	Mala madre
Buen esposo	Mala esposa

»Reflexionemos ahora sobre este esquema. Para empezar, fíjese en cómo empecé a ver a Nancy después de haberme traicionado a mí mismo: perezosa, desconsiderada y todo lo demás. Piense ahora en lo siguiente: ¿cree que cualquiera de estas ideas y sentimientos sobre Nancy me invitan a reconsiderar mi decisión y hacer lo que en un principio sentí que debía hacer por ella?

—No, en absoluto —contesté.

—Entonces ¿qué hacen esas cosas por mí? —preguntó Bud.

—Bueno, le justifican que no haya hecho nada. Le dan razones para permanecer en la cama y no atender a David.

—En efecto —asintió Bud, volviéndose hacia la pizarra.

Añadió entonces una segunda frase a su descripción de autotraición:

«Autotraición»

1. Un acto contrario a lo que siento que debería hacer por otro es un acto de «autotraición».

2. Cuando me traiciono a mí mismo, empiezo a ver el mundo de una forma que justifica mi autotraición.

—Si me autotraiciono —dijo Bud apartándose de la pizarra—, mis pensamientos y mis sentimientos empezarán a decirme que tengo justificación para lo que hago o dejo de hacer.

Bud se sentó y yo empecé a pensar en Laura.

—Ahora, durante unos minutos —añadió Bud—, vamos a examinar cómo mis pensamientos y sentimientos hacen eso.

12
Características de la autotraición

—**P**ara empezar, piense en lo siguiente: ¿cuándo me pareció Nancy peor, antes o después de que me autotraicionara?

—Después, claro —contesté.

Su pregunta me devolvió de nuevo al proceso de reflexión.

—En efecto, ¿y cuándo cree usted que me pareció más importante seguir durmiendo, antes o después de que me autotraicionara?

—Supongo que después.

—¿Y cuándo supone que me parecieron más apremiantes otros intereses, como mis responsabilidades laborales de la mañana siguiente, antes o después de que me autotraicionara?

—Después.

—Veamos otra pregunta: examine de nuevo cómo empecé a ver a Nancy. ¿Supone que ella es en realidad tan mala como me pareció después de que me autotraicionara?

—No, probablemente no —contesté.

—Yo respondo por Nancy —intervino Kate—. La mujer descrita hasta ahora no guarda ningún parecido con la realidad.

—Eso es totalmente cierto —asintió Bud.

—Vale, pero ¿y si lo hizo? —objeté—. Quiero decir, ¿y si fuera realmente una persona perezosa, desconsiderada y hasta una mala esposa? ¿Supondría eso una diferencia?

—Esa es una buena pregunta, Tom —dijo Bud, que se volvió a levantar del asiento—. Pensemos en eso por un momento. —Empezó a pasear a lo largo de la mesa—. Digamos, aunque sólo sea por continuar con el argumento, que Nancy es perezosa. Y supongamos que, generalmente, también es desconsiderada. La pregunta que se nos plantea ahora es: si se muestra perezosa y desconsiderada después de que yo me autotraicionara, también tendría que haberlo sido antes, ¿no es así?

—Claro —contesté—. Si es perezosa y desconsiderada, tiene que serlo tanto antes como después.

—Muy bien —dijo Bud—. Pero, si fuera así, y fíjese bien en esta reflexión, creo que debería haberme levantado para ayudarla aunque fuese perezosa y desconsiderada. Antes de que me autotraicionara, no consideré sus defectos como razones para no ayudarla. Sólo sentí de ese modo después de autotraicionarme, cuando utilicé sus defectos como justificaciones de mi propio comportamiento. ¿Tiene eso sentido?

No estaba muy seguro. Parecía que, en efecto, tenía cierto sentido, pero el análisis hacía que me sintiera incómodo porque yo tenía un ejemplo de esa misma situación en mi propio hogar. Laura era desconsiderada, aunque quizá no fuese perezosa. Y, desde luego, a mí me parecía una mala esposa. Al menos, lo había sido recientemente. Y también me parecía que eso tenía importancia para decidir si merecía que la ayudara o no. Resulta difícil querer ayudar a alguien que no te demuestra sentimientos.

—Supongo que tiene sentido —dije, todavía preocupado y sin estar seguro de saber cómo expresar mis preocupaciones y si debía hacerlo en aquella situación.

—Veamos otra forma de pensarlo —dijo Bud, al percibir mi incertidumbre—. Recuerde lo que estábamos hablando hace un momento. Aunque Nancy fuese perezosa y desconsiderada, ¿cuándo cree que me lo parecería más: antes o después de autotraicionarme?

—Oh, claro —exclamé al recordar el punto anterior—. Después.

—En efecto. Así que, aunque fuese perezosa y desconsiderada, lo cierto es que al autotraicionarme la consideré más perezosa y desconsiderada de lo que era en realidad. Y eso, en todo caso, es algo que hice yo, no ella.

—De acuerdo, ya lo capto —dije asintiendo con un gesto.

—Así que piénselo —siguió diciendo Bud—. En la situación que hemos descrito, me autotraiciono y pienso que no me voy a levantar para ayudar a Nancy, debido a lo que ella me está haciendo, porque la considero perezosa, desconsiderada y todo lo demás. Pero ¿es esa la verdad?

Observé el diagrama por un momento.

—No —contesté, empezando a captar la imagen—. A usted le parece que es la verdad, pero no lo es.

—En efecto. La verdad es que sus defectos me parecieron motivo suficiente para reflexionar si debía ayudarla o no únicamente *después de que yo hubiera decidido no ayudarla*. Me concentré en ella y exageré sus defectos sólo cuando necesité justificar los míos. Al haberme traicionado a mí mismo, la verdad era precisamente lo contrario de lo que yo creía que era.

—Sí, supongo que tiene razón —dije, asintiendo lentamente con un gesto de la cabeza.

Aquello empezaba a ponerse interesante, pero yo seguía sin saber cómo encajaba Laura en todo eso.

—Así fue como Bud vio distorsionada la imagen de Nancy —añadió Kate—, pero considere cómo se distorsionó también su imagen de sí mismo. ¿Supone usted que es realmente tan trabajador, importante, justo y sensible como afirmaba ser? Se experimentaba a sí mismo como un buen padre y un buen marido, pero ¿estaba actuando realmente en ese momento como tal?

—No, no actuaba así —contesté—. Al mismo tiempo que exageraba los defectos de Nancy, también minimizaba los propios. Es decir, exageraba sus propias virtudes.

—Así es —asintió Kate.

—Piénselo —dijo Bud, volviendo a intervenir—. ¿Me estaba viendo con claridad a mí mismo después de haberme autotraicionado?

—No.

—¿Y qué me dice de Nancy? ¿La estaba viendo con claridad después de haberme autotraicionado?

—No. Lo cierto es que no veía nada con mucha claridad —dije.

—Así que, una vez que me autotraicioné, mi visión de la realidad se distorsionó —dijo Bud a modo de resumen, volviéndose hacia la pizarra.

Luego, añadió un tercer punto a la descripción de autotraición:

«Autotraición»

1. Un acto contrario a lo que siento que debería hacer por otro es un acto de «autotraición».
2. Cuando me traiciono a mí mismo, empiezo a ver el mundo de una forma que justifica mi autotraición.
3. Al ver un mundo autojustificado, se distorsiona mi visión de la realidad.

—Así pues, Tom —dijo Bud tras haber hecho una pausa para leer lo que acababa de escribir—, ¿dónde me encontraba después de autotraicionarme?

—¿Que dónde se encontraba? —repetí, tratando de imaginar la respuesta.

—Sí, ¿dónde? —insistió Bud sin darme ninguna pista—. Piénselo —siguió al cabo de un momento—. Antes de autotraicionarme simplemente sentí que podía hacer algo para ayudar a Nancy, una persona con una necesidad que yo sentía que debía satisfacer. Pude ver la situación directamente. Pero, después de haberme autotraicionado, se distorsionó mi visión, tanto de ella como de mí mismo. Vi el mundo de una forma que justificaba mi fracaso. Mi percepción se distorsionó sistemáticamente a mi favor. Al autotraicionarme no hice sino autoengañarme.

—Ah, ya lo comprendo —exclamé con entusiasmo—. Así que al autotraicionarse, entró en la caja. Es eso lo que quiere decir. Esa es la respuesta a su pregunta de dónde estaba, ¿verdad?

—Exactamente —asintió, volviéndose de nuevo hacia la pizarra, donde añadió la frase: «La autotraición es cómo entramos en la caja».

«Autotraición»

1. Un acto contrario a lo que siento que debería hacer por otro es un acto de «autotraición».
2. Cuando me traiciono a mí mismo, empiezo a ver el mundo de una forma que justifica mi autotraición.
3. Al ver un mundo autojustificado, se distorsiona mi visión de la realidad.
4. Así que, al traicionarme a mí mismo, entro en la caja.

—Basándonos en este análisis, creo que deberíamos añadir unos pocos elementos de resumen al esquema, Bud —dijo Kate, que se puso de pie y se acercó a la pizarra.

—Claro, adelante —dijo él, sentándose.

Primero trazó un recuadro junto al esquema de Bud que describía su experiencia de autotraición. Después, al lado, escribió: «Al traicionarme a mí mismo, entro en la caja y me autoengaño».

—Ahora —dijo, volviéndose a mirarme—, quiero sintetizar a partir de la historia de Bud cuatro características clave de la autotraición. Y las voy a incluir directamente aquí, en este esquema. En primer lugar, recuerde que cuando Bud se traicionó a sí mismo, empezó a ver a Nancy peor de lo que era en realidad, ¿verdad?

—Sí —asentí—. Exageró sus defectos.

—Exactamente.

Kate añadió al esquema: «Exagero los defectos de los demás».

—¿Qué sucede entonces con los propios defectos de Bud?
—preguntó—. ¿Pudo verlos directamente después de que se traicionara a sí mismo?

—No —contesté—. Lo que hizo fue ignorar sus propios defectos y concentrarse sólo en los de Nancy.

—Así es.

Añadió al esquema: «Exagero las propias virtudes».

—Y, después de que Bud se traicionara a sí mismo, ¿recuerda lo que sucedió con la importancia percibida de las cosas, como el sueño y la sensación de ser justo?

—Sí, le parecieron más importantes que antes.

—En efecto. Después de que Bud se autotraicionara, exageró la importancia percibida de cualquier elemento de la situación que justificara su autotraición, como por ejemplo la importancia del sueño, de lo justo que era y de sus responsabilidades al día siguiente.

Añadió al esquema: «Exagero el valor de aquello que justifica mi autotraición».

—Muy bien —dijo Kate—. Una cosa más. En esta historia, ¿cuándo empezó Bud a echarle la culpa a Nancy?

Observé el esquema.

—Cuando se traicionó a sí mismo —contesté.

—En efecto. No la acusó cuando sólo sintió que debía ayudarla, sino únicamente después de que no la ayudara.

Añadió al esquema: «Culpabilización».

—Después de que me traicionara a mí mismo —añadió Bud—, considere lo culpabilizadora que fue mi experiencia. Todas esas cosas que aparecen en el esquema son pensamientos que tuve sobre Nancy, pero considere cuáles pudieron ser mis sentimientos hacia ella una vez que entré en la caja. Por ejemplo, ¿supone usted que me sentía irritado?

—Sí, está claro que sí —contesté.

—Pero observe —dijo Bud dirigiendo mi atención hacia el esquema—, ¿me sentía irritado con ella al principio, cuando únicamente pensé que debía ayudarla?

—No.

—¿Y qué me dice de la sensación de cólera? ¿Cree que sentí cólera después de haber entrado en la caja?

—Oh, sí. Sólo hay que fijarse en su forma de considerarla. Si mi esposa pareciese así, estaría furioso con ella.

Casi me sobresalté ante mi propio comentario porque lo cierto es que, al mirar el esquema, mi esposa parecía ser tal como allí se describía.

—Tiene razón —asintió Bud—. Creo que me sentí muy alterado por lo que consideraba como la insensibilidad de Nancy ante mi situación. Así que, fíjese: mi culpabilización no se detuvo con mis pensamientos. Una vez en la caja, mis *sentimientos* también culpabilizaron. Esos sentimientos decían: «Me siento irritado porque estás irritada, y estoy enojado porque tú has hecho cosas para enojarme». Una vez en la caja, *toda* mi forma de ser era culpabilizadora, de modo que tanto mis pensamientos como mis sentimientos me decían que todo era culpa de Nancy.

»Y, para dejar las cosas bien claras, ¿cree de veras que era Nancy la que tenía la culpa? ¿Me sentía irritado y enojado por Nancy, tal como me indicaban mi irritación y mi enojo? ¿Cree usted que mis pensamientos y mis sentimientos me estaban diciendo la verdad?

Pensé un momento. No estaba muy seguro. Parecía extraño que los sentimientos pudieran mentir, si era eso lo que Bud sugería.

—Piénselo del siguiente modo —siguió diciendo Bud, indicando la pizarra—. ¿Qué fue lo único que ocurrió en toda esta historia entre el momento en que no estaba irritado ni enojado y el momento en que lo estaba?

Miré el esquema.

Sentimiento: «Levantarme y atender a David,
para que Nancy pueda dormir»

ELECCIÓN

Hacerlo   No hacerlo
           «Autotraición»

Cuando me
traiciono, entro
en la caja y me
autoengaño

Cómo empecé a verme a mí mismo	Cómo empecé a ver a Nancy
Víctima	Perezosa
Trabajador	Desconsiderada
Importante	Desagradecida
Justo	Insensible
Sensible	Simuladora
Buen padre	Mala madre
Buen esposo	Mala esposa

1. Exagero los defectos de los demás
2. Exagero mis propias virtudes
3. Exagero el valor de las cosas que justifican mi autotraición
4. Culpabilización

—Su decisión de no hacer lo que sintió que debería hacer —contesté—. Su autotraición.

—En efecto. Eso fue lo único que ocurrió. Entonces ¿cuál fue la causa de mi irritación y enojo con Nancy?

—Su autotraición —contesté en voz baja, perdido en las implicaciones que tenía aquel pensamiento.

«¿De veras? ¿Es eso cierto?» Observé de nuevo el esquema. Antes de que se traicionase a sí mismo, Bud veía a Nancy, fueran cuales fuesen sus defectos, simplemente como una persona a la que le vendría bien su ayuda. Eso lo entendía perfectamente. Pero después de haberse autotraicionado, ella le pareció muy diferente. Ya no parecía merecedora de ayuda y Bud creía sentir de ese modo por la forma de ser de Nancy. Pero eso no era cierto. Lo único que había ocurrido en todo el proceso era su autotraición. ¡De modo que los sentimientos le mentían a Bud!

«¡Pero eso no puede ser así en mi caso! —gritó mi mente—. Laura es realmente un problema. No es pura imaginación mía, y sólo Dios sabe que no me invento nada. No queda en ella nada de ternura y afecto. Es tan fría como una hoja de acero, y conozco muy bien el dolor que produce esa hoja. Ella sabe utilizarla con habilidad. ¿Y ahora Bud me dice que todo es por culpa mía? ¿Y Laura? ¿Por qué no es culpa de ella?»

Me sentí atrapado por ese pensamiento. «Eso es —me dije a mí mismo—. Quizá resulta que todo es por culpa suya. Es ella la que se traiciona a sí misma.» Empecé a sentirme algo mejor.

«Pero un momento —me repliqué a mí mismo—. Estoy culpabilizando. Ese pensamiento, por sí solo, es una culpabilización. Y la culpabilización es algo que Bud empezó a aplicar después de que se traicionara a sí mismo, no antes.

»Y aunque fuera así, ¿qué? —me autorrepliqué—. Si es Laura la que blande la espada, tengo todo el derecho a culpabilizarla.

»Pero ¿por qué necesito sentirme justificado?

»¡Al diablo con todo eso! ¿Por qué me estoy interrogando a mí mismo? —pensé—. Laura es la que tiene el problema.

»Pero eso es lo que también pensaba Bud de Nancy —recordé.»

Me sentí atrapado entre lo que creía saber y lo que estaba aprendiendo. O todo esto no eran más que tonterías, o no lo eran. Estaba hecho un mar de confusiones.

Entonces, vi una forma de salir del atolladero.

13

Vivir en la caja

Volví a mirar el esquema.

«¡Sí! —exclamé en silencio—. Todo este problema se produjo porque Bud traicionó un sentimiento que experimentó por Nancy. Pero yo raras veces tengo esa clase de sentimientos por Laura. Y la razón es evidente: Laura es mucho peor que Nancy. Siendo como es, nadie querría hacer cosas por ella. Mi caso es diferente. Bud se metió en problemas porque se traicionó a sí mismo. Pero yo no me estoy traicionando a mí mismo.» Me recosté en el asiento, satisfecho.

—Está bien, creo que lo comprendo —dije, preparándome para plantear mi pregunta—. Creo comprender la idea de la autotraición. Si lo he entendido bien, cada uno de nosotros, como persona, tiene un cierto sentido de lo que necesitan los demás y de cómo podemos ayudarles, ¿no es así?

—Así es —asintieron Bud y Kate al unísono.

—Y si tengo esa clase de sentido y actúo en contra de él, entonces traiciono mi propio sentido de lo que debería hacer por alguien. Eso es lo que llamamos autotraición, ¿correcto?

—En efecto, así es.

—Y si me traiciono a mí mismo, entonces empiezo a ver las cosas de modo diferente, hasta el punto de que se distorsiona mi visión de los otros, de mí mismo, de mis circunstancias y de todo lo demás, lo que hace que me sienta satisfecho con lo que estoy haciendo.

—Así es —asintió Bud—. Se empieza a ver el mundo de una forma que le induce a sentirse justificado en su autotraición.

—De acuerdo —dije—. Eso lo comprendo. Y a eso lo llaman ustedes «la caja». Entro en la caja cuando me traiciono a mí mismo.

—Sí.

—Muy bien, entonces se me plantea una cuestión: ¿y si no tengo el sentimiento de traicionar a nadie? ¿Qué ocurre, por ejemplo, cuando un niño llora y yo no experimento el sentimiento que tuvo usted? ¿Y si me limito a darle un codazo a mi esposa y a decirle que atienda al niño? Lo que me está diciendo es que eso no sería autotraición y que en tal caso no estaría en la caja, ¿correcto?

Bud guardó un momento de silencio.

—Esa es una pregunta importante, Tom. Tenemos que reflexionar sobre ella con algo de cuidado. En cuanto a si está usted en la caja o no, eso es algo que no sabría decirle. Para saberlo, tendrá que pensar en situaciones de su vida y decidirlo por sí mismo. Pero hay algo de lo que no hemos hablado todavía y que, sin embargo, puede ayudarle a contestar su pregunta.

»Hasta ahora hemos aprendido a *entrar* en la caja. En este punto estamos preparados para considerar cómo llevamos cajas con nosotros.

—¿Qué? ¿Las llevamos con nosotros? —pregunté.

—Sí. —Bud se levantó y señaló el esquema—. Fíjese que, después de haberme autotraicionado, me vi a mí mismo de formas autojustificadoras. Por ejemplo, me vi a mí mismo como la clase de persona «trabajadora», «importante», «justa», «sensible», que es «buen padre» y «buen marido». Así es como empecé a verme después de haberme autotraicionado. Pero aquí se nos plantea una cuestión importante: ¿acaso tuve necesidad de mentirme, considerándome de estas formas autojustificadoras, antes de autotraicionarme?

Pensé por un momento en la pregunta.

—No, no lo creo —contesté.

—Correcto. Estas formas autojustificadoras de verme a mí mismo surgieron en mi autotraición, *cuando necesité justificarme.*

—Está bien, eso tiene sentido —admití.

—Pero sigamos pensando —dijo Bud—. La anécdota de la autotraición de la que hemos hablado no es más que un sencillo ejemplo y sucedió hace muchos años. ¿Cree que fue esa la única ocasión en la que me traicioné a mí mismo?

—Lo dudo —contesté.

—Puede estar convencido de ello —afirmó Bud con una risita burlona—. No creo que haya pasado un solo día de mi vida, y quizá ni siquiera una sola hora, sin haberme autotraicionado de una u otra forma. En realidad, me he pasado la vida traicionándome continuamente a mí mismo, como usted, Kate, y cualquier otro empleado en Zagrum. Y cada vez que me autotraiciono, me he visto de ciertas formas autojustificadoras, lo mismo que hice en la anécdota de la que hablamos. El resultado es que, a lo largo del tiempo, algunas de esas imágenes autojustificadoras se han convertido en características mías. Son las formas que adoptan mis cajas mientras las llevo conmigo a situaciones nuevas.

Tras decir esto, Bud añadió una quinta frase a la lista sobre la autotraición:

«Autotraición»
1. Un acto contrario a lo que siento que debería hacer por otro es un acto de «autotraición».
2. Cuando me traiciono a mí mismo, empiezo a ver el mundo de una forma que justifica mi autotraición.
3. Al ver un mundo autojustificado, se distorsiona mi visión de la realidad.
4. Así que, al traicionarme a mí mismo, entro en la caja.
5. Con el transcurso del tiempo, ciertas cajas se convierten en características mías y las llevo conmigo.

Me quedé allí sentado, tratando de digerir el significado de todo aquello, que no estaba muy seguro de entender.

—Permítame demostrarle lo que quiero decir —propuso Bud, indicando el esquema—. Apliquemos aquí mismo esa imagen autojustificadora. Imaginemos que, debido a mis numerosas autotraiciones, esa imagen autojustificadora se ha convertido en una característica mía. A medida que avanzo por entre mi matrimonio y mi vida, me veo a mí mismo como la clase de persona que es un buen marido. ¿Le parece correcto? —Asentí con un gesto—. Consideremos ahora lo siguiente: es el Día de la Madre y, a últimas horas de la tarde, mi esposa me dice con voz dolida: «No creo que hayas pensado mucho en mí durante el día de hoy».

Bud hizo una pausa y pensé en el último Día de la Madre en mi propio hogar. Laura me había dicho prácticamente lo mismo.

—Si llevo conmigo una imagen autojustificadora que dice: «Soy un buen esposo», ¿cómo cree que empezaré a considerar a Nancy una vez que me haya acusado de no pensar en ella? ¿Cree que puedo empezar a ponerme a la defensiva o a culpabilizarla?

—Oh, desde luego —contesté, pensando en Laura—. La culpabilizaría porque se le pasó la fecha por alto, o por no agradecerle todas las cosas que hace por ella, por ejemplo.

—En efecto. La culpabilizaría por ser desagradecida.

—O incluso por más que eso —añadí—. Podría sentirse atrapado por ella. Quiero decir, ahí está ella, acusándole de ser despreocupado, cuando es ella la que nunca se preocupa por usted. Resulta bastante difícil esforzarse por hacerle el día agradable cuando ella no contribuye en nada a que uno desee hacerlo así.

Me detuve de improviso al sentirme en una fría situación embarazosa. La historia de Bud me había transportado a mis propios problemas, y mi indiscreción les había proporcionado a Bud y a Kate un atisbo de las crudas emociones que sentía hacia Laura. Me maldije a mí mismo y resolví permanecer más desvinculado de la situación.

—Así es —asintió Bud—. Sé exactamente a qué se refiere. Y si es eso lo que siento por Nancy, ¿cree que también podría exagerar sus defectos? ¿Es posible que me parezca peor de lo que es en realidad?

Yo no quería contestar, a pesar de lo cual Bud esperó.

—Sí, supongo que sí —dije finalmente con voz monótona.

—Y observe algo más —siguió diciendo Bud con entusiasmo—. Mientras yo sienta de ese modo, ¿cree que consideraré seriamente cualquier queja que me plantee Nancy, como eso de no haber pensado en ella en todo el día? ¿O le parece más probable que la rechace de un plumazo?

Pensé en una interminable serie de altercados con Laura.

—Probablemente, no le prestaría mucha atención a sus quejas —contesté sin mucho entusiasmo.

—Pues fíjese —siguió diciendo Bud, indicando la pizarra—. Resulta que culpabilizo a Nancy, exagero sus defectos y atenúo los propios. ¿Dónde estoy, entonces?

—Supongo que está en la caja —contesté con voz apenas audible, mientras mi mente discutía la cuestión.

«¿Y qué pasa con Nancy? —me pregunté—. Quizás ella también está en la caja. ¿Por qué no consideramos eso?» De súbito, empecé a sentirme enojado con toda aquella situación.

—Sí —le oí decir a Bud—, pero observe, ¿tuve necesidad de traicionar en ese momento algún sentimiento para estar en la caja con respecto a ella?

Distraído por mis propios pensamientos, no comprendí la pregunta.

—¿Cómo ha dicho? —pregunté con beligerancia. Mi tono de voz me pilló por sorpresa y tuve de nuevo la sensación de haber quedado al descubierto. La resolución de mantenerme desvinculado de la situación sólo había durado un instante—. Lo siento, Bud —añadí, tratando de recuperarme—, no acabo de comprender la pregunta.

Bud me miró con benevolencia. Estaba claro que había observado mi fugaz arrebato de cólera, pero no se dejó amilanar por ello.

—Bien, mi pregunta fue la siguiente: estaba aquí, en la caja con respecto a Nancy, a la que culpabilizaba, de la que exageraba sus defectos y todo lo demás, pero para estar en la caja con respecto a ella, ¿tenía que traicionar algún sentimiento propio en ese momento?

Por alguna razón, este breve intercambio y la atención exigida por la pregunta de Bud me calmaron y apartaron mi mente de mis propios problemas, al menos por el momento. Pensé en su historia y me situé en ella. No recordaba que hubiera mencionado ningún sentimiento traicionado.

—No estoy seguro —contesté—. Supongo que no.

—En efecto. En ese momento y para estar en la caja con respecto a ella, no tuve necesidad de traicionar ningún sentimiento porque, en realidad, *yo ya estaba en la caja*.

Mi expresión tuvo que haber sido de perplejidad, porque Kate se apresuró a intervenir para ofrecer una explicación.

—Recuerde lo que Bud estaba diciendo hace un momento, Tom. Con el transcurso del tiempo, a medida que nos traicionamos a nosotros mismos, terminamos viéndonos de ciertas formas autojustificadoras, hasta que aplicamos esas imágenes autojustificadoras a las situaciones nuevas. Entonces, no vemos a las personas directamente, como personas, sino que más bien las vemos en el marco de las imágenes autojustificadoras que nosotros mismos nos hemos creado. En cuanto alguien actúa de una manera que desafía las pretensiones planteadas por esa imagen autojustificadora, lo consideramos una amenaza. En cambio, si alguien refuerza con su actitud nuestra imagen autojustificadora, lo consideramos un aliado. Si su actitud no importa para la imagen autojustificadora, no lo consideramos importante. En cualquier caso, los demás se convierten en meros objetos para nosotros. Ya estamos dentro de la caja. Eso es lo que Bud intenta explicar.

—Exactamente —asintió Bud—. Y si ya estoy dentro de la caja con respecto a alguien, generalmente no experimentaré el sentimiento de hacer algo por esa persona, sea lo que fuere. Así pues, el hecho de que sienta pocos deseos de ayudar a alguien no demuestra necesariamente que esté fuera de la caja, sino que más bien indica que me encuentro hundido en ella hasta lo más profundo.

—¿Me está diciendo que si, en general, no me siento impulsado a hacer cosas por alguien en mi vida, como por ejemplo por mi esposa Laura, es porque probablemente ya estoy en la caja respecto de ella? ¿Es eso lo que me está diciendo? —pregunté.

—No, no exactamente —contestó Bud, que volvió a sentarse junto a mí—. Lo único que sugiero es que, en general, eso es lo que sucede en mi caso, al menos con respecto a aquellas personas de las que estoy más cerca en mi vida. Desconozco si eso mismo le sucede a usted con respecto a Laura, por ejemplo. Eso es algo que tendrá que decidir por sí mismo. Pero, como regla general, permítame sugerirle lo siguiente: si parece estar dentro de la caja en una situación dada, pero no logra identificar ningún sentimiento que haya traicionado en ese preciso momento, lo más probable es que sea porque ya estaba previamente en la caja. Y quizá le resulte útil entonces preguntarse si no estará llevando consigo algunas imágenes autojustificadoras.

—¿Como por ejemplo ser un buen marido? —pregunté.

—Sí, o como ser una persona importante, o competente, o trabajadora, o la más lista, o ser alguien que lo sabe todo o lo hace todo, o que no comete errores o piensa siempre en los demás, y así sucesivamente. Casi todo se puede pervertir y convertirse en una imagen autojustificadora.

—¿Pervertir? ¿Qué quiere decir?

—Quiero decir que la mayoría de imágenes autojustificadoras son perversiones producidas dentro de la caja acerca de lo que sería estupendo que fuese realidad fuera de la caja. Por ejemplo, sería magnífico ser un buen marido, o pensar siempre en los demás, o tratar de acumular todos los conocimientos que podamos sobre aquello en lo que trabajamos, y así sucesivamente. Pero esas son precisamente las mismas cosas que no somos cuando tenemos imágenes autojustificadoras acerca de ellas.

—No estoy seguro de haberle comprendido —dije.

—Bueno —dijo Bud, que se volvió a levantar—, pensemos un momento en imágenes autojustificadoras. —Se puso de nuevo a pasear—. Por ejemplo, ciertamente resulta bueno pensar en los demás, pero ¿en quién pienso en realidad cuando me convenzo a mí mismo de que estoy pensando en los demás?

—Supongo que en mí mismo.

—Exactamente. Así pues, mi imagen autojustificadora me miente. Me dice que estoy concentrado en una cosa, en este caso en los demás, cuando en realidad no hago sino concentrarme en mí mismo.

—De acuerdo —dije, tratando de encontrar algún fallo en su lógica—. Pero, ¿qué me dice de lo otro que acaba de mencionar, de ser listo o de saberlo todo? ¿Qué problema hay en eso?

—Veamos. Digamos que, por ejemplo, tiene usted una imagen autojustificadora según la cual lo sabe todo. ¿Cómo cree que se sentirá con respecto a alguien que le sugiera algo nuevo?

—Supongo que me mostraría resentido, o que procuraría encontrar algo erróneo en su sugerencia.

—Correcto. Y, siendo así, ¿cree que en la próxima ocasión se acercaría a usted para brindarle nuevas ideas?

—No, supongo que no. Claro, ya comprendo lo que quiere decir —dije de repente—. Mi imagen autojustificadora sobre saberlo todo puede ser precisamente lo que en ocasiones me impida enterarme de lo que necesito saber.

—Eso es. Si tengo esa imagen autojustificadora, ¿cree acaso que lo que más me importa es saberlo todo?

—No. Supongo que su mayor preocupación sería usted mismo, la imagen que ofrece ante los demás.

—Exactamente —asintió Bud—. Y esa es la naturaleza de la mayoría de las imágenes autojustificadoras.

Bud siguió hablando, aunque dejé de prestarle atención y me perdí en mis propios pensamientos. «Está bien, de modo que llevo mis cajas conmigo. Quizá tenga algunas de esas imágenes autojustificadoras de las que habla Bud. Quizás esté dentro de la caja con respecto a Laura. Quizá, en general, Laura no sea para mí más que un objeto. Está bien. Pero, ¿qué pasa con Laura? Todo esto parece estar diciendo que soy yo el que tiene el problema. Pero, ¿y el problema de Laura? ¿Qué ocurre con sus imágenes autojustificadoras? ¿Por qué no hablar de eso?»

Volvía a sentirme enojado cuando, de repente, fui consciente de mi enojo. Bueno, «consciente» quizá no sea la palabra adecuada, porque cuando me enfado siempre me doy cuenta de que estoy enfadado. En esta ocasión, sin embargo, me di cuenta de que había algo más: era consciente de la *hipocresía* de mi enfado. Allí estaba yo, enojado porque Laura estuviera en la caja, pero ese mismo enojo significaba que yo también lo estaba. Es decir, ¡me enojaba con ella por ser lo mismo que yo! Aquella idea me dejó atónito y, en un instante, Laura me pareció diferente, no en el sentido de que ya no tuviera problemas, sino diferente en el sentido de que yo también los tenía. Los problemas de Laura ya no parecían justificar los míos.

La voz de Kate interrumpió mis pensamientos.

—Tom.

—¿Sí?

—¿Tiene todo esto sentido para usted, Tom?

—Sí, lo comprendo —contesté despacio—. No es que me guste, necesariamente, pero lo comprendo. —Hice una pausa, sin dejar de pensar en Laura—. Creo que tengo bastante trabajo pendiente.

Fue un momento interesante. Por primera vez en esa tarde, me sentí completamente abierto a lo que Bud y Kate compartían conmigo, abierto a la posibilidad de que yo tuviera un problema. En realidad, me sentía algo más que abierto. Sabía que tenía un problema y, en cierto modo, bastante grande. Hasta ese momento estaba convencido de que aceptar la posibilidad de tener un problema significaría que era un perdedor, que había sido machacado, que Laura había ganado. Pero ahora no me lo parecía así. De una forma extraña, me sentí liberado, sin trabas. Laura no ganaba y yo no perdía. El mundo me pareció muy diferente a como lo había visto hasta un momento antes. Sentí esperanza. ¡Imagínense! ¡Sentí esperanza en el mismo instante en que descubrí que tenía un problema!

—Sé a lo que se refiere —dijo Kate—. Yo también tengo mucho trabajo pendiente.

—Lo mismo que yo —asintió Bud.

Transcurrió un momento, en silencio.

—Nos queda una cosa de la que hablar —dijo Bud—, antes de dirigir la discusión hacia la empresa y ver lo que supone todo esto para Zagrum.

14
Connivencia

—Hasta ahora —siguió diciendo Bud—, hemos examinado la experiencia interna de alguien que está en la caja. Pero, como podrá imaginar, mi caja puede causar un gran impacto sobre los demás. Piense en ello —añadió, dirigiéndose a la pizarra—. Suponga que este soy yo, en mi caja —dijo, trazando un recuadro con una figura estilizada dentro—. Si estoy aquí dentro, en mi caja, ¿qué emito hacia el exterior?

—¿Qué *emite*?

—¿Qué les estoy haciendo a los demás si estoy dentro de la caja con respecto a ellos?

—Ah, ya —exclamé, buscando entre mis recuerdos—. Bueno, supongo que los está culpabilizando.

—Correcto. De modo que si estoy aquí, dentro de mi caja —dijo, señalando el dibujo—, culpabilizo a los demás. —Trazó una flecha que surgía a la derecha de su caja—. Pero aquí se nos plantea una cuestión importante: ¿cree acaso que los demás, al relacionarse con nosotros, se dicen: «Vaya, hoy me siento con ganas de que alguien me eche la culpa de algo; necesito a alguien que me culpabilice»?

—De acuerdo, ya entiendo —asentí, echándome a reír.

—Yo tampoco lo creo —dijo Bud—. Generalmente, la mayoría de la gente anda por ahí pensando: «Fíjate, no soy un tipo perfecto, pero por lo menos estoy haciendo las cosas lo mejor posible teniendo en cuenta las circunstancias». Y puesto que la mayoría de nosotros cargamos con imágenes autojustificadoras, adoptamos de entrada una postura defensiva, siempre dispuestos a defender esas imágenes autojustificadoras contra el primer ataque que percibamos como tal. Así que, si estoy dentro de la caja, culpabilizando a los demás, eso también los invita a ellos a…, ¿a qué?

—Supongo que su culpabilización invitaría a los demás a estar en la caja.

—Exactamente —asintió, dibujando un segundo recuadro con otra persona—. Al culpabilizar, invito a los demás a entrar en la caja, y entonces ellos me culpan por haberles culpabilizado injustamente. Pero como resulta que mientras estoy en la caja yo me siento justificado de culpabilizarlos, tengo la sensación de que la culpa que arrojan sobre mí es injusta, lo que me induce a culpabilizarlos aún más. Naturalmente, mientras ellos están en la caja se sienten justificados en culpabilizarme y tienen la sensación de que es injusto que yo los culpabilice todavía más. Así que, como reacción, me culpabilizan aún más. Y así sucesivamente. Así pues, al estar en la caja invito a los demás a estar en la caja como respuesta —dijo, añadiendo más flechas entre los dos recuadros dibujados—. Y los demás, al estar en la caja en respuesta a mi actitud, me invitan a *permanecer* en la caja, del siguiente modo.

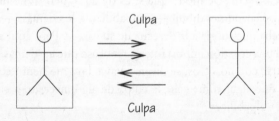

Culpa

Culpa

Entonces, añadió una sexta frase a los principios que estaba escribiendo sobre la autotraición:

«Autotraición»
1. Un acto contrario a lo que siento que debería hacer por otro es un acto de «autotraición».
2. Cuando me traiciono a mí mismo, empiezo a ver el mundo de una forma que justifica mi autotraición.
3. Al ver un mundo autojustificado, se distorsiona mi visión de la realidad.
4. Así que, al traicionarme a mí mismo, entro en la caja.
5. Con el transcurso del tiempo, ciertas cajas se convierten en características mías y las llevo conmigo.
6. Al estar en la caja, provoco que otros estén también en la caja.

—Este esquema puede rellenarlo como quiera —añadió Kate, indicando lo dibujado en la pizarra—. Se dará cuenta entonces de que cuando alguien está en la caja, siempre surge esa misma pauta autoprovocada. Permítame darle un ejemplo.

»Tengo un hijo de dieciocho años llamado Bryan. Si quiere que le sea franca, la relación con él siempre ha sido problemática. Una de las cosas que más me fastidian de él es que frecuentemente regresa muy tarde a casa.

Había estado tan enfrascado pensando en Laura que casi se me habían olvidado mis problemas con Todd. El simple hecho de pensar ahora en él, en respuesta al comentario de Kate sobre su hijo, ensombreció mi estado de ánimo.

—Imagínese ahora que estoy en la caja con respecto a Bryan. Siendo así, ¿cómo supone que lo consideraré, tanto a él como al hecho de que llegue tarde a casa?

—Bueno, seguramente le parecerá irresponsable —contesté.

—Muy bien —asintió Kate—. ¿Y qué más?

—Pensaría usted que es un joven que causa problemas.

—Y que no muestra ningún respeto —añadió Bud.

—Sí —asintió Kate. Señaló entonces la pizarra y preguntó—: ¿Puedo borrar este dibujo de la culpa, Bud?

—Claro.

Después de borrarlo, anotó un resumen de lo que habíamos dicho.

—Muy bien —dijo una vez que hubo terminado—. Así que esto es lo que tenemos.

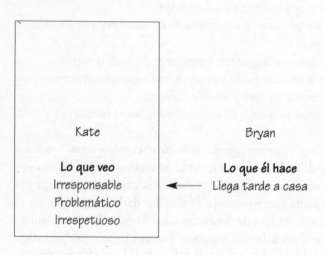

Kate	Bryan
Lo que veo	**Lo que él hace**
Irresponsable	← Llega tarde a casa
Problemático	
Irrespetuoso	

»Ahora bien, si estoy en la caja y veo a Bryan como un irresponsable que causa problemas y es irrespetuoso, ¿qué cosas cree que puedo hacer en una situación así?

—Bueno… —empecé a decir, pensativo.

—Probablemente le castigarías severamente —propuso Bud.

—Y seguramente empezaría a criticarlo mucho —añadí.

—Está bien —dijo Kate, añadiéndolo al dibujo—. ¿Alguna otra cosa?

—Es probable que empiece a controlarlo para estar segura de que no se mete en problemas —dije.

Añadió eso al dibujo y se apartó a un lado.

—Bien, supongamos ahora que Bryan se traiciona a sí mismo,

que está en la caja con respecto a mí. Siendo eso así, ¿cómo cree que puede verme y considerar mis castigos, críticas y controles?

—Probablemente, la consideraría como una dictadora —dije—. O quizá como una madre poco cariñosa.

—Y fisgona —añadió Bud.

—Está bien, «dictatorial», «poco cariñosa» y «fisgona» —repitió, mientras lo añadía al dibujo—. Veamos hora qué tenemos.

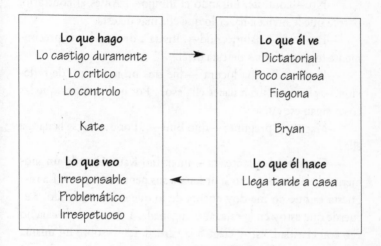

»Si Bryan está en la caja y me considera poco cariñosa, fisgona y dictadora. ¿cree que deseará llegar a casa temprano o tarde?

—Oh, tarde, desde luego —contesté—. Mucho más tarde.

—De hecho —intervino Bud—, es muy probable que no haga nada de lo que a ti te gustaría que hiciese.

—En efecto —asintió Kate, trazando otra flecha desde la caja de Bryan a la suya—. Así que continuamos así indefinidamente —siguió diciendo mientras añadía más y más flechas entre las cajas—. Piénselo un momento: nos provocamos el uno al otro para hacer más de lo que decimos que no nos gusta del otro.

—Sí, piénselo, Tom —intervino Bud—. Si en esta situación le

preguntara a Kate qué es lo que más desea en el mundo, ¿qué cree usted que le contestaría?

—Que Bryan sea más responsable, menos problemático y todo eso.

—Precisamente. Y, según lo que aparece indicado en el dibujo, ¿qué es lo que consigue al estar en la caja? ¿Invita al otro a hacer lo que ella desea?

—No —contesté, mirando el dibujo—. Antes al contrario, parece que le invita a hacer lo que ella más detesta.

—En efecto —asintió Bud—. Invita a Bryan a hacer precisamente lo que ella más detesta de él.

—Pero eso es una locura —dije tras un momento de reflexión—. ¿Por qué iba a hacer ella eso? ¿Por qué permitir que las cosas sigan ese curso?

—Magnífica pregunta —dijo Bud—. ¿Por qué no se la hace a ella?

—Considérela planteada —intervino Kate. Guardó un momento de silencio, como si ordenara sus pensamientos—. La respuesta es que no me doy cuenta de lo que estoy haciendo. Recuerde que estoy en la caja, autoengañada. Y dentro de la caja no veo con claridad, estoy ciega a la verdad, tanto sobre mí misma como sobre los demás. Estoy ciega incluso ante mis propias motivaciones. Permítame darle un ejemplo de algo que ocurrió en esta misma situación, para demostrarle lo que quiero decir.

»Como bien puede haber imaginado, he estado en la caja con respecto a Bryan. Probablemente hice todo lo que usted ha dicho: castigarlo duramente, criticarlo, controlarlo… He hecho todo eso. Pero aquí no se trata tanto de lo que he hecho, sino de la actitud mantenida mientras lo hacía. Creo que, en algunos casos, el castigo, incluso el duro, es lo que puede necesitar un niño. Pero mi problema ha sido que a la hora de castigar a Bryan no lo hice porque él lo necesitara, sino porque me sacaba de mis casillas la forma que tenía de dificultarme la vida. En consecuencia, el problema del castigo y todo eso fue que estaba en la caja cuando lo hice y que, por lo tanto, no veía a mi hijo como una persona a la que debía ayudar, sino como un objeto al que podía culpabilizar. Y eso fue lo que él sintió y a lo que respondió.

»Hace aproximadamente un año, en medio de toda esta lucha, un viernes por la noche me preguntó si podía utilizar el coche. Yo no quería que lo usara, así que le impuse la condición de que regresara a casa a una hora muy temprana, convencida de que él no aceptaría. "Está bien, puedes llevártelo (le dije con actitud autosuficiente), pero sólo si regresas a casa antes de las diez y media". "De acuerdo, mamá" se limitó a decirme. Tomó las llaves y se marchó de casa.

»Me dejé caer sobre el sofá, sintiéndome muy agobiada y jurándome a mí misma no permitirle que volviera a utilizar el coche. Pasé la noche angustiada. Cuanto más pensaba en ello, más furiosa me sentía con mi irresponsable hijo.

»Recuerdo que miré las noticias de las diez, sin dejar de estar furiosa con Bryan. Mi esposo, Steve, también estaba en casa. Los dos nos quejábamos de Bryan cuando oímos el chirrido de las ruedas del coche junto a la casa. Miré mi reloj. Eran exactamente las diez y veintinueve minutos. ¿Y sabe una cosa? —Yo era todo oídos—. En ese preciso momento, al comprobar la hora, experimenté un aguijonazo de desilusión.

»Piense ahora en lo ocurrido —siguió diciendo al cabo de un momento—. Esa noche yo habría dicho que lo que más deseaba en el mundo es que Bryan fuera responsable, que mantuviera su palabra y se mostrara digno de confianza. Pero cuando demostró ser realmente responsable, cuando hizo lo que se había comprometido a hacer, cuando demostró ser digno de confianza, ¿acaso me sentí feliz?

—No, no se sintió feliz —contesté, empezando a pensar en las implicaciones.

—Correcto. Y al entrar alegremente en casa y decir: «Lo conseguí, mamá», ¿qué se imagina que le dije? ¿Cree que le di unas palmaditas en la espalda y le dije: «Buen chico»?

—No, probablemente le dijo algo así como: «Sí, pero no deberías haber hecho chirriar las ruedas».

—En efecto. Lo que le dije realmente fue: «Desde luego, has esperado hasta el último minuto, ¿eh?». Observe que aun siendo responsable, no pude dejar que lo fuera.

—Eso sí que es extraño —dije con la respiración contenida, pensando en mi propio hijo, Todd.

—Sí. Lo que nos lleva a la siguiente pregunta: ¿acaso lo que más deseaba realmente era que mi hijo fuese responsable?

—Supongo que no —contesté.

—Claro que no —dijo ella—. Cuando estoy en la caja, hay algo que necesito más incluso que cualquier otra cosa que pueda desear. Es como lo que he dicho hace un momento. Una vez en la caja, soy ciega incluso ante mis propias motivaciones. ¿A qué cree que me refiero? ¿Qué es lo que más necesito cuando estoy en la caja?

Me repetí la pregunta para mis adentros. «¿Qué es lo que más necesito cuando estoy en la caja? ¿Qué necesito más?» No estaba muy seguro de saberlo. Entonces, Kate se inclinó hacia mí.

—Lo que más necesito cuando estoy en la caja es sentirme justificada. Y si me hubiera pasado toda la noche e incluso mucho más tiempo culpabilizando a mi hijo, ¿qué hubiera necesitado de él para sentirme «justificada», para sentirme «bien»?

—Habría necesitado que él fallara —contesté lentamente, al tiempo que un nudo se me formaba en la boca del estómago—. Para tener la justificación para culpabilizarlo, necesitaba que mereciese ser culpabilizado.

En ese momento me sentí mentalmente transportado a algo que ocurrió unos dieciséis años antes. Una enfermera me entregó un pequeño bulto desde el que dos turbios ojos grises se levantaron en dirección a mi cara. Yo no estaba en absoluto preparado para el aspecto que él pudiera tener en el momento de nacer. Magullado, un tanto deformado y grisáceo, era un bebé de aspecto bien extraño y yo era su padre.

Casi desde entonces había estado culpabilizando a Todd. Nunca me parecía lo bastante listo, lo bastante coordinado. Y siempre parecía interponerse en mi camino. Desde que empezó a ir a la escuela se había metido en constantes problemas. Ni siquiera recuerdo haberme sentido orgulloso cuando alguien se enteraba de que era mi hijo. Nunca me había parecido suficientemente bueno.

La anécdota que me acababa de contar Kate me asustó mucho. No tuve más remedio que preguntarme: «¿Cómo debe de ser eso de tener un padre para el que nunca puedes ser lo bastante bueno? Y si Kate tiene razón, hay un cierto sentido en el que yo no le dejo ser lo bastante bueno. Necesito que él sea un problema para sentirme justificado por el hecho de considerarlo siempre como un problema». Sentí náuseas y traté de apartar a Todd de mis pensamientos.

—Eso es exactamente así —oí decir a Kate—. Después de haberme pasado toda la noche acusando a Bryan de ser una desilusión para mí, necesitaba que fuera efectivamente una desilusión para sentirme justificada por culpabilizarlo.

Por un momento, permanecimos allí sentados, sumidos en nuestros propios pensamientos. Finalmente, Bud rompió el silencio.

—Cuando estoy en la caja, necesito que la gente me cause problemas. Necesito tener problemas.

«Sí —pensé—, supongo que tiene razón.»

Bud se detuvo y luego se levantó de la silla.

—¿Recuerda esta mañana, cuando me preguntó si se podía dirigir una empresa permaneciendo todo el tiempo fuera de la caja? Creo que con ello deseaba decirme que podía verse arrollado por los demás si permanecía todo el tiempo fuera de la caja, viendo a las personas como lo que son: personas.

—Sí, lo recuerdo.

—Luego hablamos de que esa pregunta está mal planteada, puesto que se puede realizar casi cualquier comportamiento, es decir, ser «blando», «duro» o lo que sea, tanto dentro como fuera de la caja. ¿Lo recuerda?

—Sí.

—Pues bien, ahora podemos considerar esa importante pregunta en un contexto más amplio. Apliquémosle lo que acabamos de ver. Piense lo siguiente: ¿quién necesita sentirse arrollado, la persona que está en la caja o la que está fuera?

—La que está dentro de la caja —contesté, perplejo ante la implicación.

—Correcto. Fuera de la caja no saco nada en limpio viéndome arrollado. No lo necesito. Y, lo que es más importante, habitualmente no le hago ningún favor a nadie permitiendo a los demás que me arrollen. Por el otro lado, dentro de la caja, consigo precisamente aquello que más necesito cuando me veo arrollado: obtengo la justificación que ando buscando, la prueba de que la persona que me arrolla es tan mala como la he acusado de ser.

—Pero, en la caja, no desea realmente ser arrollado por el otro, ¿verdad? —pregunté—. Eso sería extraño. La anécdota de Kate me hizo pensar en mi hijo, Todd. Laura y yo tenemos la sensación de vernos arrollados a veces, pero no creo que ninguno de los dos lo desee.

—Eso es cierto —respondió Bud—. No pretendo decir que cuando estamos dentro de la caja disfrutemos teniendo problemas. Nada más lejos de la realidad. Los detestamos. En la caja parece como si no deseáramos otra cosa que librarnos de los problemas. Pero recuerde que cuando estamos en ella nos autoengañamos, somos ciegos a la verdad sobre nosotros mismos y los demás. Y una de las cosas a las que somos ciegos es cómo la propia caja socava todos nuestros esfuerzos por alcanzar los resultados que más deseamos. Regresemos a la anécdota de Kate y le demostraré lo que quiero decir.

Bud se acercó a la pizarra.

—Recuerde que, en esta situación —dijo, indicando el dibujo de Kate—, Kate afirmó que su mayor deseo consistía en que

Bryan fuera respetuoso, responsable y menos problemático. Y estaba diciendo la verdad. Realmente, eso es lo que más desea. Pero está ciega en cuanto al hecho de que todo lo que hace en la caja no contribuye sino a provocar a Bryan para hacer precisamente lo contrario. Observe que su culpabilización induce a Bryan a ser irresponsable y luego, cuando es irresponsable, ella toma eso como justificación por haberle culpabilizado de ser irresponsable. Del mismo modo, la culpabilización de Bryan induce a Kate a mantenerse firme en su idea, algo que él toma a su vez como justificación por culpabilizarla a ella de ser como es. El simple hecho de estar en la caja hace que cada uno contribuya a crear los mismos problemas de los que acusa al otro.

—De hecho —añadió Kate—, Bryan y yo nos aportamos una justificación mutua tan perfecta, que es casi como si estuviésemos en connivencia para hacerlo así. Es como si nos dijéramos el uno al otro: «Mira, yo te maltrato para que tú puedas acusarme por mi mal comportamiento contigo». Naturalmente, jamás nos hemos dicho algo así o ni siquiera lo hemos pensado. Pero nuestra provocación y justificación mutuas parecen tan perfectamente coordinadas que da la impresión de que nos pusimos de acuerdo. Por eso, cuando dos o más personas están en la caja una con respecto a la otra y se están traicionando mutuamente a sí mismas, decimos que se produce entre ellas una «connivencia». Y, en este sentido, cuando estamos en connivencia con alguien, lo que hacemos realmente es condenarnos a un maltrato mutuo y permanente.

—Y, además —intervino Bud—, no lo hacemos porque nos guste que nos maltraten, sino porque estamos en la caja, y la caja *vive* de la justificación que obtiene del hecho de ser maltratados. Existe, pues, una ironía muy peculiar en el hecho de estar en la caja: por muy amargamente que me queje sobre el mal comportamiento de alguien hacia mí y por muchos problemas que eso me cause, resulta que también lo percibo como algo extrañamente delicioso. Esa es la prueba de que los otros son tan merecedores de culpa como yo había afirmado, y de que soy tan inocente como afirmo ser. El comportamiento sobre el que me quejo es el mismo comportamiento que me justifica.

Bud apoyó las dos manos sobre la mesa y se inclinó hacia mí.

—Por lo tanto, por el simple hecho de estar en la caja —dijo lenta y seriamente—, provoco en los demás el mismo comportamiento que digo detestar en ellos y, entonces, ellos provocan en mí el mismo comportamiento que dicen detestar en mí.

Bud se volvió hacia la pizarra y añadió otra frase a los principios sobre la autotraición:

«Autotraición»

1. Un acto contrario a lo que siento que debería hacer por otro es un acto de «autotraición».

2. Cuando me traiciono a mí mismo, empiezo a ver el mundo de una forma que justifica mi autotraición.

3. Al ver un mundo autojustificado, se distorsiona mi visión de la realidad.

4. Así que, al traicionarme a mí mismo, entro en la caja.

5. Con el transcurso del tiempo, ciertas cajas se convierten en características mías y las llevo conmigo.

6. Al estar en la caja, provoco que otros estén también en la caja.

7. En la caja invitamos al maltrato mutuo y obtenemos justificación mutua. Establecemos una connivencia para darnos mutuamente razones para permanecer en la caja.

—Una vez que estamos en la caja —dijo Bud, apartándose de la pizarra—, nos damos mutuamente razones para quedarnos en ella. Esa es la cruda realidad.

—Bastante cruda —tuve que admitir, repentinamente dolorido al pensar en mi hijo.

—Ahora fíjese, Tom —dijo Bud, que volvió a sentarse—. Piense en cómo la autotraición y todo aquello de lo que hemos hablado explica el problema del autoengaño, el problema de ser

116

incapaz de darnos cuenta de que tenemos un problema. Para empezar, cuando estoy en la caja, ¿quién creo que tiene el problema?

—Los otros.

—Pero, cuando estoy en la caja, ¿quién tiene en realidad el problema?

—Usted —contesté.

—¿Y qué provoca mi caja en los demás? —preguntó.

—Les induce a portarse mal con usted.

—Así es. En otras palabras, mi caja provoca problemas en los demás. Provoca lo que asumo como prueba de no ser yo el que tiene el problema.

—Sí, de acuerdo —asentí.

—¿Qué haré entonces si alguien trata de corregir el problema que ve en mí?

—Se resistirá —contesté.

—Exactamente —asintió—. Cuando tengo un problema, no creo tener ninguno. Pienso que los responsables son los demás. —Hizo una breve pausa antes de añadir—: Lo que se nos plantea ahora es: muy bien, ¿y qué?

«¿Y qué?», me repetí mentalmente.

—¿Qué quiere decir con eso de «y qué»?

—Lo que quiero decir —contestó Bud— es, simplemente: ¿por qué hemos de preocuparnos por todo esto en Zagrum? ¿Qué tiene que ver todo esto con el trabajo?

15

Concentrarse en la caja

—*Todo* lo que hemos hablado tiene que ver con la empresa —dije, sorprendido por la fortaleza de mi opinión.

—¿Cómo? —preguntó Bud.

—¿Que cómo? —repliqué.

—Sí, ¿cómo? —insistió Bud con una ligera sonrisa.

—Bueno, pues para empezar casi todo empleado está en la caja, al menos por lo que puedo recordar. Eso es lo que sucedía en Tetrix.

—¿Y qué?

—¿Cómo que «y qué»?

—Sí, ¿y qué?

—Pues que si estamos en la caja también invitamos a los demás a estarlo, y de ese modo terminamos con todo tipo de conflictos que se interponen en lo que tratamos de hacer.

—¿Y qué es lo que tratamos de hacer? —preguntó Bud.

—¿Qué quiere decir? ¿A qué se refiere?

—Acaba de decir que todos esos conflictos se interpondrían en lo que tratamos de hacer. Así que mi pregunta es: ¿qué tratamos de hacer?

—Ah, bueno, supongo que tratamos de ser productivos.

—Sí, pero ¿por qué?

—¿Por qué? —repetí, sorprendido por la pregunta.

—Sí. ¿Por qué trata usted de ser productivo? ¿Cuál es el propósito de la productividad?

—Ah..., bueno, tratamos de ser productivos para alcanzar los objetivos que se ha propuesto la empresa.

—Ah —dijo Bud, como si finalmente hubiera encontrado algo que había estado buscando desde hacía tiempo—. Para conseguir resultados.

—Sí, eso quería decir —asentí, agradecido por la ayuda.

—Permítame hacerle entonces otra pregunta.

—De acuerdo.

Empezaba a sentirme como un recogepelotas que tuviera que vérselas con un jugador particularmente difícil.

—Si el propósito de todos nuestros esfuerzos en el trabajo es el de conseguir resultados, ¿cuál es el efecto que tiene la caja sobre nuestra habilidad colectiva para conseguirlos?

—Pues eso es lo que quiero decir, que si estamos en la caja, no podemos conseguir realmente los resultados que podríamos de otro modo.

—¿Por qué no? —preguntó Bud.

Aquello empezaba a parecerme ridículo.

—¿Qué quiere decir con eso de por qué no? —pregunté, sin lograr ocultar del todo mi irritación.

—Eso es lo que quiero decir —respondió él sin amilanarse—. ¿Por qué si estamos en la caja no podemos alcanzar los resultados que podríamos alcanzar de otro modo? ¿Por qué importa la caja?

—Bueno..., es decir..., el caso es que..., vamos, ¿es que no importa? —pregunté finalmente.

—No lo sé. Por eso se lo pregunto.

Me sentía totalmente confuso. Sabía que importaba, pero no lograba encontrar una forma adecuada de explicar por qué.

—Piénselo del siguiente modo, Tom. Cuando estoy en la caja, ¿en quién o en qué me concentro?

—Supongo que en usted mismo —contesté.

—Exactamente. Permítame entonces volver a preguntarle: ¿qué ocurre en la caja que me impide concentrarme en los resultados?

De repente, encontré la respuesta.

—No se puede concentrar en los resultados porque, en la caja, está concentrado en usted mismo.

—Exactamente, Tom. Eso es. Cuando estamos en la caja, no podemos concentrarnos en los resultados. Estamos demasiado ocupados concentrándonos en nosotros mismos. Incluso la mayoría de la gente que ha conocido a lo largo de su carrera y que creía estar concentrada en conseguir resultados, no lo estaba en realidad. Valoran los resultados principalmente con el propósito de crear o mantener su propia fama estelar. Y puede estar seguro de que es así porque, generalmente, no parecen considerar los resultados de los demás tan importantes como los propios. Piénselo y verá que cuando otros miembros de la organización tienen éxito, la mayoría de la gente no se siente tan feliz como cuando es uno el que alcanza el éxito. Así que suelen arrollar a los demás en su carrera por alcanzar únicamente sus propios resultados, lo que tiene unos efectos devastadores. Se parten el pecho y dicen en todas partes estar concentrados en los resultados, pero eso es mentira. En la caja, ellos, como todos los demás, sólo están concentrados en sí mismos. Pero, como están en la caja, ellos, como todos los demás, no pueden verlo.

—Y las cosas son incluso peores —intervino Kate—. Porque, recuérdelo, en la caja inducimos a otros a permanecer en la caja. Retenemos información, por ejemplo, lo que da a otros razones para hacer lo mismo. Tratamos de controlar a otros, lo que provoca en ellos la misma resistencia al cambio que nos lleva a la necesidad de controlar a los demás. Retenemos recursos que no permitimos utilizar a los demás, que sienten entonces la necesidad de proteger de nosotros sus propios recursos. Acusamos a los demás de ser lentos y, al hacerlo así, les damos razones para justificar su lentitud, y así sucesivamente.

»Y durante todo ese proceso, seguimos pensando que nuestros problemas se solucionarían si Jack no hiciera tal cosa o Linda no hiciera tal otra, o si tal departamento estuviera mejor organizado o la empresa supiera mejor por dónde va. Pero todo eso es una mentira. Es una mentira aunque Jack, Linda, tal departamento o la propia empresa necesiten mejorar, lo que seguramente es cierto. Porque al culpabilizar a los demás, no lo hago porque necesiten mejorar, sino porque sus deficiencias justifican mi propia incapacidad para mejorar.

»Así pues, una persona perteneciente a una organización, al estar en la caja y no lograr concentrarse en los resultados, provoca que sus colaboradores tampoco consigan concentrarse en los resultados. La connivencia se difunde así por todas partes, y el resultado final es que los colaboradores se sitúan contra los colaboradores, los grupos de trabajo contra los grupos de trabajo, los departamentos contra los departamentos. De ese modo, personas que se reunieron para ayudar a una organización a tener éxito, resulta que terminan solazándose con los fracasos de los demás y resentidos los unos con los otros por sus éxitos.

—Eso es realmente una locura —dije, atónito—. Pero ahora comprendo de lo que han estado hablando todo este tiempo. Tetrix estaba repleta de esa clase de situaciones.

—Sí. Piénselo —dijo Bud—. ¿Cuándo se sentía más feliz, cuando Chuck Staehli alcanzaba un éxito o cuando fracasaba?

La pregunta me pilló desprevenido. Quería dar a entender que había visto eso en los demás. Staehli era realmente un problema. Eso no me lo inventaba. Y creaba a su alrededor toda clase de problemas, conflictos, un trabajo deficiente en equipo, etcétera.

—Yo…, bueno, no lo sé —contesté débilmente.

—Pues haría bien en reflexionar un poco sobre eso. Cuando se trata con gérmenes, que una persona esté enferma no significa que yo no esté enfermo. Pero cuando me hallo rodeado de enfermos, tengo más probabilidades de enfermar yo mismo. —Guardó silencio y me miró—. ¿Recuerda a Semmelweis?

—¿El médico que descubrió la causa del elevado índice de mortalidad en la sala de maternidad?

—Sí. En su caso resultó que hasta los médicos difundían la enfermedad. Y una vez transmitida, otros se convertían también en portadores, incluidas las pacientes con las que entraban en contacto. La fiebre puerperal, con sus diversos síntomas, se difundía así incontrolada, cobrándose una víctima tras otra. Y todo eso por un solo germen que nadie conocía, y mucho menos quienes lo transmitían. Lo que ocurre en las organizaciones es algo análogo.

Bud se levantó y se acercó a la pizarra.

—Permítame mostrarle lo que quiero decir.

16
Problemas en la caja

—¿Recuerda mi experiencia en San Francisco? —me preguntó Bud.

—Sí.

—¿Recuerda los problemas que tuve allí? ¿Cómo no me mostré integrado ni comprometido y cómo contribuí a dificultar las cosas para los demás.

—Sí, lo recuerdo.

Bud borró todo lo que había escrito junto al esquema de la autotraición y luego escribió lo siguiente:

Falta de compromiso
Falta de integración
Creación de problemas

—Bien, aquí tenemos algunos de los problemas que experimenté en San Francisco —dijo, apartándose de la pizarra—. Esos fueron mis «síntomas», por así decirlo. Pero incluyamos en la lista todos los problemas que se nos ocurran. ¿Cuáles son algunos de los otros problemas personales que suele tener la gente en las organizaciones?

—Conflicto —dije—. Falta de motivación.

—Estrés —añadió Kate.

—Deficiente trabajo en equipo —dije.

—Un momento —dijo Bud, que escribía todo lo rápido que podía—. Intento incluirlos todos. De acuerdo, sigamos. ¿Qué más?

—Cotilleos, camarillas, falta de confianza —añadió Kate.

—Falta de responsabilidad, malas actitudes, problemas de comunicación.

—Está bien —dijo Bud, terminando de anotar los últimos—. Ahora, echemos un vistazo y comparémoslos con la anécdota de este otro lado, en la que no me levanté para atender a mi hijo cuando lloraba.

Sentimiento: «Levantarme y atender a David, para que Nancy pueda dormir»

ELECCIÓN

Hacerlo   No hacerlo «Autotraición»

Cómo empecé a verme a mí mismo	Cómo empecé a ver a Nancy
Víctima	Perezosa
Trabajador	Desconsiderada
Importante	Desagradecida
Justo	Insensible
Sensible	Simuladora
Buen padre	Mala madre
Buen esposo	Mala esposa

Falta de compromiso
Falta de integración
Provocar problemas
Conflicto
Falta de motivación
Estrés
Mal trabajo en equipo
Cotilleos
Malas actitudes
Camarillas
Falta de confianza
Falta de responsabilidad
Problemas de comunicación

»Fíjese: ¿tuve un problema de compromiso o de integración después de haberme autotraicionado?

—Sí —contesté.

—Pero ¿lo tuve *antes*? ¿Tuve un problema de compromiso o de integración cuando experimenté la sensación de que debía levantarme y atender a David para que Nancy pudiera dormir?

124

—No, en absoluto.

—¿Qué me dice respecto de dificultar las cosas a los demás? ¿Estaba dificultándole las cosas a Nancy cuando experimenté el sentimiento de que debía ayudarla?

—No —contesté—. Sólo después de que se autotraicionara.

—Correcto. ¿Y qué me dice respecto del conflicto y del estrés? ¿Cuándo cree que me sentí más estresado? ¿Cuando tuve el sentimiento de que debía ayudar a Nancy, o después de autotraicionarme y exagerar la importancia de las cosas que tenía que hacer a la mañana siguiente?

—Después de autotraicionarse, claro. Y lo mismo cabe decir del conflicto. No experimentó ningún conflicto antes de autotraicionarse, sino sólo después.

—Correcto —asintió Bud—. Puede repasar toda esta lista de problemas personales, y verá que todos existieron sólo después de que me autotraicionara, no antes.

Bud se detuvo, dándome la oportunidad de revisar la lista y comprobarlo por mí mismo.

—Y eso, ¿qué quiere decir? —preguntó Bud.

—No estoy seguro de comprender a qué se refiere —contesté.

—Bueno, tuve todos esos problemas personales después de autotraicionarme, pero no antes. ¿Qué significa eso?

—¿Qué significa…? Ah, pues significa que todos esos problemas fueron causados por su autotraición —contesté por fin.

—Exactamente, Tom. No tenía ninguno de esos problemas antes de autotraicionarme. Únicamente los tuve después. En consecuencia, la solución al problema de la autotraición es la solución de todos esos otros problemas.

Bud se detuvo de nuevo, concediéndome tiempo para digerir la idea.

—Recuerde lo que dije antes, Tom. Lo mismo que con el descubrimiento médico de Semmelweis, la solución al problema del autoengaño supone encontrar una especie de teoría unificadora, una teoría que demuestra que todos los diversos y dispares problemas que llamamos «personales», tienen en realidad una misma causa.

—Sí, lo recuerdo.

—Pues eso es lo que quiero decir. Justo aquí mismo —dijo, señalando el esquema—. Esta sencilla anécdota demuestra cómo sucede todo. La autotraición es el germen que crea la enfermedad del autoengaño. Y, como sucediera con la fiebre puerperal, el autoengaño tiene muchos síntomas diferentes, desde la falta de motivación y compromiso hasta el estrés y los problemas de comunicación. Y esos síntomas matan o perjudican gravemente a las organizaciones. Y todo eso sucede porque quienes son los portadores del germen no saben que lo son.

Por un momento, estudié el esquema, pensando en la importancia que tenía aquello.

—Pero ¿ocurre siempre lo mismo en los negocios? —pregunté al cabo de un rato—. Después de todo, la anécdota que usted ha planteado sólo se refiere a no haberse levantado de la cama para atender a su hijo que llora. Y eso no es lo que sucede en el trabajo.

—Eso es cierto —admitió—. Tiene razón al decir que la gente en el trabajo no se traiciona a sí misma de ese modo; nadie deja de atender a ningún bebé. No obstante, sí hay mucha gente que deja de hacer cosas por sus compañeros cuando tienen el sentimiento de que deberían hacerlas. Y cada vez que sucede eso, se despliegan los mismos elementos que en este ejemplo. Cada vez que nos autotraicionamos, entramos en la caja, y no importa dónde nos ocurra eso, ya sea en el hogar, en el trabajo, en la tienda, donde sea. Una vez en la caja, el autoengaño causará en cada una de esas situaciones la misma clase de problemas que causó en la situación aquí descrita.

»Pero también hay algo más —siguió diciendo Bud—. En el trabajo hay una autotraición concreta, fundamental que compartimos casi todos. Se trata de algo que tiene que ver con lo que estábamos hablando hace un momento, con nuestra incapacidad para hacer aquello para lo que se nos ha contratado: concentrarnos en ayudar a la organización y a su gente a conseguir resultados. La clave para solucionar la mayoría de los problemas personales que afligen a las organizaciones estará en descubrir cómo podemos solucionar esa autotraición fundamental en el puesto de trabajo.

—¿Cómo se descubre eso? —pregunté con ansiedad.

—Ah, eso es algo para cuya comprensión todavía no estamos preparados. Antes de llegar ahí tenemos que considerar unas pocas ideas más. Pero quizá debamos tomarnos un respiro antes de seguir.

Kate miró su reloj.

—Voy a tener que dejarlos. A las cuatro y media tengo una cita con Howard Chen. Desearía no tener que marcharme. —Se levantó de la silla, se volvió hacia mí y me tendió la mano—. Tom, ha sido un verdadero placer pasar este tiempo con usted. Le agradezco la seriedad con la que se ha tomado todo esto. Como le comenté antes, para nosotros no hay nada más importante que lo que está aprendiendo ahora. Esa es la principal iniciativa estratégica de Zagrum. Comprenderá lo que le quiero decir una vez que siga con lo que viene a continuación.

»¿Qué te parece? —preguntó, volviéndose hacia Bud—. ¿Vas a intentar terminar lo básico esta misma tarde?

—Si fuera así, terminaríamos un poco tarde. Tom y yo tendremos que hablarlo.

—Me parece bien —dijo Kate, volviéndose hacia la puerta—. Y a propósito, Tom —añadió, volviéndose de nuevo hacia mí—. Una vez me marché de Zagrum. Por aquel entonces era una empresa muy diferente.

—¿Por qué se marchó? —le pregunté.

—A causa de Lou Herbert.

No era aquella la respuesta que esperaba.

—¿De veras? Creía que usted y Lou se llevaban muy bien.

—No al principio. En aquellos tiempos Lou no se llevaba bien con nadie. Fue mucha la gente que se marchó por eso.

—Entonces, ¿por qué regresó usted?

—Por Lou —contestó ella.

—¿Qué quiere decir? —pregunté, perplejo.

—Lou descubrió este material, el mismo que ahora aprende usted, y eso lo transformó. Y, al transformarlo a él, transformó a la empresa. Cuando tomó un vuelo para venir a verme, lo hizo para disculparse conmigo y después me presentó un plan. He trabajado para Zagrum en dos períodos de mi vida, pero bien podría decirse que han sido dos empresas diferentes. Usted está aprendiendo algo sobre la necesidad de pedir disculpas, como Lou. Dentro de poco también aprenderá algo sobre el plan que se deriva de ello. Y, como ya le dije antes, todo lo que hacemos aquí se fundamenta en lo que está usted aprendiendo. Eso es lo que mantiene vivo este lugar.

Se detuvo y, tras un breve silencio, me tomó por el codo.

—Nos alegramos de que forme parte del equipo, Tom. Usted no estaría aquí si no creyéramos en usted.

—Gracias —contesté.

—Y gracias también a ti, Bud —añadió, volviéndose hacia él—. Nunca dejas de asombrarme.

—¿A qué te refieres ahora? —preguntó Bud sonriendo.

—Me refiero a lo que significas para la empresa y para quienes trabajamos en ella. Eres como Lou después de que encontrara su camino. Eres el arma secreta de Zagrum.

Kate sonrió y se volvió hacia la puerta.

—En cualquier caso, gracias —dijo antes de salir—. Y seguid profundizando en lo fundamental... los dos. Sí, tú también, Bud —añadió al observar su ceño ligeramente fruncido—. Sólo Dios sabe cuánto se necesita la ayuda.

—Vaya —exclamé, sin dirigirme a nadie en particular, una vez que ella se hubo marchado—. Es increíble que haya empleado todo este tiempo para estar hoy conmigo.

—Créame si le digo que no sabe de la misa la mitad —dijo Bud—. Su agenda es tremendamente exigente, a pesar de lo cual acude siempre que puede. Y acude porque ahora nos hemos embarcado en producir para esta empresa más resultados que ninguna otra cosa que hagamos. Su asistencia es su forma de decir: «Esto es algo que nos tomamos muy en serio. Y si ustedes no se lo toman, no permanecerán aquí por mucho tiempo».

»Bien, Tom —dijo Bud, indicando un cambio de tema—. Tenemos que tomar una decisión. Aún nos quedan unas pocas horas más para revisar todo lo básico. Podemos terminarlo hoy, aunque sea tarde, o volvernos a reunir mañana, si eso le fuera posible.

Pensé en mi propia agenda. Tenía la tarde llena de compromisos, pero podía despejar las cosas para la mañana siguiente.

—Creo que preferiría mañana por la mañana.

—Me parece bien. Digamos a las ocho y, si puedo arreglarlo, es posible que tenga una sorpresa para usted.

—¿Una sorpresa?

—Sí, siempre que tengamos suerte.

El cálido viento de agosto sopló por entre mis cabellos cuando giré con el convertible desde Longridge Road hacia el este, entrando en Merrit Parkway. Tenía una esposa y un hijo que necesitaban de mi atención, quizás incluso de mis disculpas. No tenía ni la menor idea de por dónde empezar. Pero sabía que a Todd le gustaba trabajar en los coches, un interés que más de una vez yo lo había ridiculizado, por temor a que «el chico de Callum» terminara por convertirse en un mecánico. También sabía que hacía meses que Laura no había tenido la oportunidad de disfrutar de una comida que no hubiese preparado ella. Tenía que comprar las cosas para la barbacoa, y experimentaba el deseo de aprender algo acerca de cómo afinar motores.

Por primera vez en muchos años, sentía verdaderas ganas de llegar a casa.

TERCERA PARTE

Cómo salimos de la caja

17

Lou

*E*ran ya las ocho y cuarto y Bud no había llegado aún a la sala de conferencias. Empezaba a preguntarme si había entendido bien la hora de nuestra cita cuando la puerta se abrió de golpe y entró un caballero anciano.

—¿Tom Callum? —me preguntó con una bondadosa sonrisa, al tiempo que me tendía la mano.

—Sí.

—Me alegra conocerlo. Soy Lou. Lou Herbert.

—¿Lou Herbert? —repetí, asombrado.

Había visto fotografías de Lou y algún que otro vídeo antiguo, pero su presencia allí fue tan inesperada que no lo habría reconocido de no haberse presentado él mismo.

—Sí. Siento la sorpresa. Bud no tardará en llegar. Está comprobando un par de cosas para una reunión que tenemos esta tarde.

Me quedé sin saber qué decir. No se me ocurrió nada, así que aguardé allí, de pie, nervioso, como un actor novato que de repente se ha olvidado del guión.

—Probablemente se preguntará qué hago yo aquí —dijo.

—Bueno, sí, claro.

—Bud me llamó anoche y me preguntó si podía reunirme con ustedes esta mañana. Quería que le explicase unas pocas cosas sobre mi historia aquí, en la empresa. Yo tenía que venir hoy de todos modos, para una reunión esta tarde. Así que aquí me tiene.

—Pues no sé qué decir. Me parece increíble conocerlo. He oído hablar mucho de usted.

—Lo sé. Es casi como si ya estuviera muerto, ¿verdad? —preguntó con una mueca.

—Bueno, supongo que es algo parecido —dije con una risita, antes de darme cuenta de lo que decía.

—Mire, Tom, siéntese. Bud me pidió que empezáramos antes de que llegara él. —Me indicó un asiento—. Por favor.

Me instalé en la misma silla donde me había sentado la tarde anterior, y Lou se sentó frente a mí.

—Entonces ¿cómo han ido las cosas?

—¿Se refiere a lo de ayer?

—Sí.

—Debo confesar que fue un día asombroso. Realmente asombroso.

—¿De veras? Vamos a ver, cuénteme.

Aunque sólo llevaba un par de minutos con Lou, mi nerviosismo inicial se había evaporado. La amabilidad de su mirada y la bondad de su actitud me recordaban a mi padre, muerto diez años antes. Me sentí perfectamente cómodo en su presencia, y me di cuenta de que deseaba compartir mis pensamientos con él, como en otro tiempo solía hacer con mi padre.

—Bueno —dije—, casi no sé por dónde empezar. Ayer aprendí muchas cosas. Pero quizá sea mejor empezar por mi hijo.

Durante aproximadamente los quince minutos siguientes, le conté a Lou la mejor noche que había pasado con Laura y Todd en por lo menos los últimos cinco años. La velada sólo fue extraordinaria porque, simplemente, disfruté estando con ellos, sin que tuviera que haber nada de extraordinario para disfrutarla. Cociné, reí, le pedí a mi hijo que me enseñara a afinar el motor del coche, y por primera vez en no sé cuánto tiempo disfruté y me sentí agradecido por mi familia. Luego, también por primera vez en mucho tiempo, me acosté sin rencores hacia ningún miembro de la familia.

—¿Y qué le pareció a Laura todo eso? —preguntó Lou.

—Creo que no sabía ni lo que pensar. No dejó de preguntarme qué ocurría, hasta que finalmente tuve que contarle algo de lo que aprendí ayer.

—Oh, ¿de modo que intentó enseñarle?

—Sí, pero fue un desastre. Creo que sólo tardé un minuto en confundirla por completo. «La caja», «autotraición», «connivencia»… Le expuse las ideas tan mal, que no podría haberlo hecho peor.

Lou sonrió, como si supiera muy bien de qué hablaba.

—Sé lo que quiere decir. Cuando se oye a alguien como Bud explicar todo esto, queda uno convencido de que es lo más sencillo del mundo, pero en cuanto uno intenta hacer lo mismo con otro, se da cuenta rápidamente de lo sutil que es todo esto.

—Eso es cierto. Probablemente, mis explicaciones no hicieron sino crear más preguntas de las que intentaron contestar. Pero, de todos modos, ella me escuchó y trató de comprender.

Lou me escuchaba con atención, con los ojos ligeramente entrecerrados y la expresión amable. Y, no pude estar seguro, pero también creí detectar aprobación.

—Puede consultar con Bud para ver si todavía se mantiene, pero antes había la costumbre de organizar, un par de veces al año, reuniones de formación que duraban toda la tarde, para que los familiares interesados pudieran venir y aprender estas ideas. Para todo el mundo significaba mucho que la empresa hiciera eso por ellos. Estoy seguro de que todavía se mantiene la costumbre, pero consúltelo con Bud. Es muy posible que a Laura le guste.

—Gracias. Se lo consultaré, desde luego.

En ese momento se abrió la puerta y entró Bud.

—Tom —dijo, exasperado—, siento mucho llegar tarde. Tuve que ocuparme de unos preparativos de última hora para la reunión de esta tarde con el grupo Klofhausen. Como sucede siempre, nunca hay tiempo suficiente.

Dejó el maletín en el suelo y se sentó entre Lou y yo, a la cabecera de la mesa.

—Bueno, Tom, tuvimos suerte.

135

—¿Qué quiere decir?

—Me refiero a Lou… Es la sorpresa que esperaba darle. La historia de Lou es la historia de cómo este material ha transformado a Zagrum y quería que, si podía, él mismo se la contara.

—Bueno, me siento feliz de poder estar aquí —dijo Lou con elegancia—. Pero antes de pasar a contar esa historia, Bud, creo que deberías oír cómo le fue la pasada noche a Tom.

—Oh, sí, Tom, lo siento. Cuéntemelo.

No sé por qué, quizá porque trabajo para Bud y deseaba impresionarlo, pero lo cierto es que al principio me mostré reticente a compartir con él lo que le había contado a Lou. Lou, sin embargo, no dejó de animarme, diciéndome: «Cuéntele esto», o «Cuéntele lo otro». Así que no tardé en relajarme y le conté a Bud todo lo ocurrido en casa. Al cabo de unos diez minutos, sonreía como había sonreído Lou.

—Eso es magnífico, Tom —dijo Bud—. ¿Y cómo pasó Todd la velada?

—Como casi siempre: bastante silencioso. Se limitó a responder a mis preguntas, como hace siempre, con unos secos «no», «sí» y «no lo sé». Pero la verdad es que anoche no pareció importarme, mientras que antes me sacaba de mis casillas.

—Eso me recuerda a mi propio hijo —dijo Lou, mirando hacia la ventana. Guardó un momento de silencio, con la mirada perdida en la lejanía, como si recuperase algo de un distante pasado—. La historia de la transformación de Zagrum empieza con él.

18

Liderazgo en la caja

—**M**i hijo menor, Cory, que ahora tiene casi cuarenta años, parecía tener el diablo en el cuerpo. Drogas, alcohol…, todo lo que se le ocurra, él lo hizo. El caso es que la situación culminó cuando fue detenido por tráfico de drogas durante su último año de estudios en la escuela superior.

»Al principio lo negué. Ningún Herbert había consumido nunca drogas. Y venderlas…, eso era inconcebible. Armé mucho jaleo, pedí que se reparase aquella injusticia. No podía ser cierta, no con mi chico. Así que exigí un juicio completo, a pesar de que nuestro abogado se opuso a su celebración y el fiscal ofreció un trato que sólo incluía pasar treinta días en la cárcel si Cory se declaraba culpable. Pero no les hice caso. "No voy a permitir que mi hijo vaya a la cárcel", exclamé. Así que presenté batalla.

»Pero perdimos y Cory tuvo que pasar un año completo en el reformatorio de menores de Bridgeport. Por lo que a mí se refiere, fue un baldón para el buen nombre de la familia. Lo visité dos veces durante todo ese año.

»Tras su regreso a casa, apenas si nos hablamos. Raras veces le preguntaba algo y, cuando lo hacía, él me respondía con monosílabos apenas audibles. Se juntó con malas compañías, y apenas tres meses después lo detuvieron de nuevo, esta vez por robo en una tienda.

»Quise enfrentarme serenamente a esta nueva situación. No me hacía ilusiones acerca de su inocencia, así que presioné para conseguir un acuerdo que implicaba seguir un programa de tratamiento y supervivencia de noventa días al aire libre en las tierras altas de Arizona. Cinco días más tarde, tomé un avión, acompañado por Cory, en el aeropuerto Kennedy, con destino a Phoenix. Llevaba a mi hijo para que "lo reformaran".

»Mi esposa, Carol, y yo lo dejamos en la sede central de la organización. Observamos cómo lo subían a un autobús blanco, junto con otros muchachos que ingresaban en el programa, y luego se lo llevaron hacia las montañas de la zona centro-oriental de Arizona. Después, nos acompañaron a una sala para una sesión de un día, en la que esperaba aprender cómo iban a reformar a mi hijo.

»Pero no fue eso lo que aprendí. Lo que aprendí fue que, al margen de cuáles pudieran ser los problemas de mi hijo, yo también necesitaba ser reformado. Lo que aprendí aquel día cambió mi vida. No al principio, pues me resistí con uñas y dientes a todo lo que me sugirieron: "¿Quién, yo? (protesté). Yo no consumo drogas. No soy yo el que se pasó la mayor parte del último año de escuela superior encerrado entre rejas. No soy yo el ladrón. Soy una persona responsable, respetada, incluso presido una empresa". Pero, poco a poco, empecé a darme cuenta de la mentira que había en mi actitud defensiva. De una forma que sólo puedo describir como simultáneamente dolorosa y esperanzada, terminé por descubrir que, durante años, había estado en la caja, con respecto a mi esposa y a mis hijos.

—¿En la caja? —pregunté casi en voz baja.

—Sí, en la caja —respondió Lou—. Porque aquel primer día pasado en Arizona aprendí lo que usted aprendió ayer. Y en ese momento, cuando probablemente mi hijo bajaba del autobús y miraba a su alrededor en una zona situada en plena naturaleza, que sería su hogar durante los tres meses siguientes, experimenté por primera vez en muchos años el abrumador deseo de abrazarlo con fuerza. Qué desesperada soledad y vergüenza debía de estar sintiendo. ¡Y cuánto había contribuido yo a ello! Las últimas horas pasadas junto a su padre, o incluso meses o quizás años, estuvieron envueltas en el silencio y en una nube de culpabilidad. Lo único que pude hacer fue contener las lágrimas.

»Pero las cosas fueron incluso mucho peores. Ese día me di cuenta de que mi caja me había arrebatado no solamente a mi hijo, sino también a la gente más importante de mi empresa. Dos semanas antes, en lo que los empleados llamaron la "disolución de marzo", cinco de los seis miembros del equipo ejecutivo se marcharon de la empresa en busca de "mejores oportunidades".

—¿Kate? —pregunté.

—Sí, Kate fue una de ellos.

La mirada de Lou se perdió, aparentemente sumido en profundos pensamientos.

—Ahora, al recordarlo, me resulta todo muy extraño —dijo finalmente—. Me sentí traicionado, del mismo modo que me había sentido traicionado por Cory. «Al diablo con ellos (me dije a mí mismo). Que se vayan todos al infierno.»

»Estaba decidido a convertir Zagrum en una empresa de éxito, aunque fuera sin su colaboración. "De todos modos, no son tan magníficos", me dije a mí mismo. La mayoría de ellos llevaban en la empresa unos seis años, desde que se la comprara a John Zagrum, y la empresa, en líneas generales, había avanzado renqueante durante todo ese tiempo. "Si fueran tan buenos, ya deberíamos haber mejorado a estas alturas. Así que al diablo con ellos", pensé.

»Pero aquello era una mentira. Podía ser cierto, sin embargo, que la empresa debería estar en mejor situación. Pero eso seguía siendo una mentira porque estaba totalmente ciego al papel que yo mismo desempeñaba en nuestra mediocridad. Y, como consecuencia de ello, estaba ciego a cómo los culpabilizaba no por sus errores, sino por los míos. Estaba ciego, como siempre lo estamos, a mi propia caja.

»Pero en Arizona recuperé la visión. Me veía a mí mismo como un líder tan seguro de la brillantez de sus propias ideas, que no podía permitir que nadie más brillara, un líder que se sentía tan «ilustrado» que necesitaba ver a sus colaboradores negativamente para mejorar su propia ilustración, un líder con tanto impulso por ser el mejor que se aseguró de que nadie más pudiera ser tan bueno como él.

Lou hizo una pausa, antes de continuar.

—Ha aprendido algo sobre la connivencia, ¿verdad, Tom?

—¿Lo que se produce cuando dos personas están en sus cajas la una con respecto a la otra? Sí.

—Pues bien, con esas imágenes autojustificadoras que me decían que era un líder brillante, ilustrado y el mejor de todos, ya se puede imaginar las connivencias que provocaba a mi alrededor. Metido en mi caja, era una verdadera fábrica de crear excusas, tanto para mí como para los demás. Cualquier empleado que necesitara la más ligera justificación por sus propias autotraiciones encontraba en mí un variado repertorio.

»No me daba cuenta, por ejemplo, que cuanta más responsabilidad asumía por el rendimiento de mi equipo, tanta más desconfianza sentían ellos. Luego, se resistían de toda clase de formas; algunos simplemente abandonaron sus esfuerzos y dejaron en mis manos toda creatividad; otros, en cambio, me desafiaron e hicieron las cosas a su modo, mientras que otros simplemente se marcharon de la empresa. Todas aquellas respuestas me convencieron de la incompetencia de los empleados, así que respondí emitiendo instrucciones cada vez más detalladas y meticulosas, desarrollando mayor número de políticas y procedimientos, y así sucesivamente. La gente interpretó que aquello no hacía sino demostrar aún más mi falta de respeto hacia todos ellos, por lo que se me resistieron todavía más. Y así continuó el círculo vicioso en el que cada uno invitaba al otro a permanecer en la caja y, al hacerlo así, nos proporcionábamos justificación mutua por estar allí. La connivencia estaba en todas partes. Aquello era un desastre.

—Como lo ocurrido a Semmelweis —dije, extrañado.

—Ah, ¿de modo que Bud le ha hablado de Semmelweis? —preguntó Lou mirando a Bud y luego de nuevo a mí.

—Sí —asentí, mirando a Bud.

—Está muy bien —siguió diciendo Lou—. La historia de Semmelweis guarda un interesante paralelo. En efecto, yo estaba matando a la gente de mi empresa. Nuestro índice de beneficios podría compararse con el índice de mortalidad de la sala de maternidad del Hospital General de Viena. Yo mismo transmitía la enfermedad de la que acusaba a todos los demás. Los infectaba y luego los acusaba de ser los causantes de la infección. Nuestro gráfico organizativo era un gráfico de cajas en connivencia. Estaba todo hecho un lío.

»Pero en Arizona aprendí que el único que estaba hecho un lío era yo. Al estar en la caja, provocaba los mismos problemas de los que me quejaba. Había alejado de mi lado a las mejores personas que conocía, sintiéndome justificado en todo momento porque me encontraba dentro de la caja. Estaba convencido de que esas personas no eran tan buenas.

»Ni siquiera Kate —añadió tras una pausa en la que sacudió la cabeza con pesar—. No he conocido a nadie con más talento que Kate, pero en aquel entonces no lo veía así, porque me hallaba encerrado en mi caja.

»Así que, mientras estuve en Arizona, me di cuenta de que tenía un enorme problema. Me hallaba sentado junto a mi esposa, a la que no le había hecho mucho caso durante veinticinco años. Me separaban más de ciento cincuenta kilómetros de terreno impracticable de un hijo cuyos recuerdos más recientes de su padre serían probablemente bastante amargos. Y mi empresa empezaba a hacer agua por todas partes, después de que los mejores y más brillantes colaboradores que había tenido se buscaran nuevos trabajos. Era un hombre solitario. Mi caja estaba destruyendo todo aquello que me importaba.

»En aquel momento hubo una cuestión que me pareció mucho más importante que ninguna otra cosa en el mundo: ¿cómo podía salir de la caja?

Lou se detuvo y yo esperé a que continuara.

—¿Cómo lo hizo? —le pregunté finalmente—. ¿*Cómo* se sale de la caja?

—Eso es algo que usted ya sabe.

19

Empezar a salir de la caja

—¿*D*e veras?

Revisé mis recuerdos de la sesión anterior. Estaba absolutamente convencido de que no habíamos hablado de ese tema.

—Sí, como también empecé a estarlo yo en cuanto me pregunté cómo salir de allí.

—¿Cómo? —pregunté, realmente perdido.

—Piénselo. Mientras estaba allí, lamentándome por mi forma de actuar respecto de mi esposa, mi hijo y mis colaboradores, ¿qué eran ellos para mí? En ese preciso momento, ¿los veía como personas o como objetos?

—En ese momento eran personas para usted —contesté, con el tono de voz bajo, perdido en mis propios pensamientos.

—En efecto. Habían desaparecido mi culpabilización, resentimiento e indiferencia. Los veía como lo que eran, y lamentaba haberlos tratado como menos de lo que eran. Así que, en ese momento, ¿dónde estaba yo?

—Estaba fuera de la caja —contesté, casi como en un trance, tratando de localizar qué había hecho posible el cambio.

Me sentía como si fuera un espectador de un espectáculo de magia que ve salir el conejo de la chistera, pero no tiene ni la menor idea de cómo fue a parar allí.

—Exactamente. En el momento en que sentí el intenso deseo de estar fuera de la caja, ya lo estaba y me acercaba a ellos, porque sentir ese deseo ya es estar fuera de la caja y acercarme a ellos.

»Y lo mismo cabría decir de usted —siguió diciendo—. Piense en lo que sucedió anoche con su familia. ¿Qué fueron para usted anoche? ¿Los veía como personas o como objetos?

—Eran personas —contesté, extrañado por el descubrimiento.

—De modo que si anoche estuvo fuera de la caja —dijo Lou—, es porque ya sabe cómo salir de ella.

—Pero es que no lo sé —protesté—. No tengo ni idea de cómo ocurrió. En realidad, anoche ni siquiera supe que estaba fuera de la caja hasta que usted mismo me lo señaló. No sabría decirle cómo salí.

—Claro que puede, porque ya lo ha hecho.

—¿Qué quiere decir? —pregunté, perplejo.

—Nos ha hablado de lo que ocurrió ayer, tanto durante el día como por la noche, de cómo regresó a su casa y pasó la velada con su familia. Esa anécdota nos enseña cómo podemos salir de la caja.

—Pero eso es precisamente lo que quiero decir, que no sé cómo.

—Lo que yo le aseguro es que sí lo sabe. Lo que sucede es que no se da cuenta, pero ya lo hará.

Eso, al menos, me tranquilizó un poco, aunque no mucho.

—Mire —siguió diciendo Lou—, la pregunta «¿Cómo puedo salir de la caja?» se compone en realidad de dos preguntas. La primera es: «¿Cómo salgo?», y la segunda es: «¿Cómo permanezco fuera una vez que he salido?». Creo que la pregunta que realmente le preocupa es la segunda, cómo permanecer fuera. Piénselo, y quiero resaltar esto de nuevo: cuando tiene el sentimiento de que quiere estar fuera de la caja por alguien, en ese preciso momento, ya lo está. Siente de ese modo porque ve a ese alguien como una persona, y al sentir así por esa persona, ya está fuera de la caja. Así pues, en ese preciso momento, como el momento por el que pasa ahora y el de anoche con su familia, en el que veía y sentía con claridad y deseaba estar fuera de la caja por otros, lo que en realidad se pregunta es: «¿Qué puedo hacer para permanecer fuera de la caja y acercarme a ellos? ¿Que puedo hacer para mantener el cambio que experimento ahora?». Esa es la verdadera pregunta que debe hacerse. Y una vez que está fuera de la caja, para permanecer fuera de ella y, sobre todo, para nuestros propósitos, aquí, en el trabajo, se pueden hacer unas cuantas cosas muy específicas.

Mientras Lou hablaba, empecé a comprender lo que quería decir.

—Está bien. Comprendo que al sentir el deseo de estar fuera de la caja por alguien, en ese momento lo veo como una persona, y que al experimentar ese sentimiento ya estoy fuera de la caja con respecto a esa persona. Lo entiendo. Y también comprendo que, una vez fuera de la caja, la cuestión que se me plantea es cómo permanecer fuera, y está claro que eso es algo que también quiero entender bien, sobre todo por lo que se aplica al trabajo. Pero sigo devanándome los sesos para saber cómo salgo de la caja, cómo desapareció de repente el resentimiento que antes experimentaba hacia Laura y Todd. Quizá lo de anoche no fue más que un poco de suerte, pero, cuando no tenga tanta suerte, me gustaría saber cómo salir.

—Está bien —dijo Lou, levantándose—. Me parece justo. Haré todo lo que pueda, con ayuda de Bud, para explicarle cómo se sale de la caja.

20
Callejones sin salida

—*P*ara empezar —siguió diciendo Lou—, es conveniente comprender cómo *no* podemos salir de la caja. —Se volvió hacia la pizarra y escribió—: «Lo que no funciona estando en la caja». —Se volvió hacia mí y dijo—: Piense en las cosas que tratamos de hacer cuando estamos en la caja. Por ejemplo, estando ahí, ¿quién creemos que tiene el problema?

—Los demás —contesté.

—En efecto —asintió—. Así que, cuando estamos en la caja, empleamos normalmente una gran cantidad de energía en tratar de cambiar a los demás. Pero ¿funciona eso? ¿Nos permite eso salir de donde estamos?

—No.

—¿Por qué no? —preguntó.

—Bueno, porque, para empezar, ese es el problema. Intento cambiar al otro porque, al estar en la caja, creo que el otro necesita cambiar. Y ese es el problema.

—¿Quiere decir eso que nadie necesita cambiar? —preguntó Lou—. ¿Qué todo el mundo hace las cosas perfectamente? ¿Es eso lo que dice, que nadie necesita *mejorar*?

Me sentí un tanto estúpido cuando me hizo esa pregunta. «Vamos, Callum, ¡piensa!», me dije a mí mismo. No estaba prestando la atención suficiente.

—No, claro que no. Todo el mundo necesita mejorar.

—En ese caso, ¿por qué no el otro? ¿Qué hay de malo en que yo quiera que el otro mejore?

Era una buena pregunta. «Sí, ¿qué hay de malo en eso?»,

146

pensé. Creía que eso era todo lo que implicaba la pregunta, pero en ese momento no estuve seguro de la respuesta.

—No estoy seguro —contesté.

—Bien. Veámoslo entonces del siguiente modo. Aunque es cierto que los otros pueden tener problemas que necesitan resolver, ¿acaso son sus problemas la razón por la que yo estoy en la caja?

—No. Eso es lo que se piensa por el hecho de estar en la caja, pero es una percepción errónea de la realidad.

—Exactamente —asintió Lou—. Así que aunque tuviera éxito y la persona a la que intento cambiar, cambiara de verdad, ¿cree que eso solucionaría el problema de que yo esté en la caja?

—No, imagino que no.

—Correcto, no lo solucionaría, ni siquiera aunque la otra persona cambiara según mis deseos.

—Pero es que, además, las cosas son incluso peores —intervino Bud—. Piense en lo que hablamos ayer sobre la connivencia. Cuando estoy en la caja y trato de hacer cambiar a los demás, ¿los induzco a cambiar según mis deseos?

—No —contesté—. Lo que hace es provocar precisamente lo contrario.

—Exactamente —asintió Bud—. El hecho de estar en la caja termina por provocar más de aquello mismo que deseo cambiar. Así pues, si intento salir de donde estoy, cambiando a los demás, termino por inducir en ellos el darme más razones para permanecer donde estoy.

—Así que intentar cambiar a los demás no funciona —dijo Lou, volviéndose hacia la pizarra, donde escribió:

Lo que no funciona estando en la caja:
1. Tratar de cambiar a los demás.

»¿Y si hago todo lo que puedo para *enfrentarme a* los demás? —preguntó, volviéndose a mirarme—. ¿Funciona eso?

—Yo diría que tampoco —contesté—. Eso es, esencialmente, lo que suelo hacer, a pesar de lo cual no parece que me permita salir de la caja.

—Correcto —asintió Lou—. Y ello se debe a una sencilla razón. «Enfrentarse» a alguien tiene la misma deficiencia básica que tratar de cambiarlo: no es más que otro modo de seguir culpabilizándolo. Transmite la culpabilidad que hay en mi caja, lo que invita a la persona a la que me enfrento a permanecer en su propia caja.

Se volvió hacia la pizarra y añadió «enfrentarse a» a la lista de cosas que no funcionan.

Lo que no funciona estando en la caja:
1. Tratar de cambiar a los demás.
2. Hacer todo lo que pueda por "enfrentarme" a los demás.

—Veamos qué le parece esto —intervino Bud, mientras Lou aún escribía—. Abandonar. ¿Se soluciona algo al abandonar el trabajo? ¿Le permitirá eso salir de la caja?

—Quizá —contesté—. A veces me lo parece.

—Bien, pensemos en ello. Cuando estoy en la caja, ¿dónde creo que está el problema?

—En los demás —contesté.

—Exactamente. Pero ¿dónde está en realidad?

—En uno mismo.

—Eso es. De modo que, al abandonar, ¿qué es lo que me llevo conmigo? —preguntó.

—El problema —contesté pensativo, asintiendo con un gesto—. Ya lo entiendo. Al abandonar, uno se lleva la caja consigo.

—En efecto —afirmó Bud—. Cuando se está en la caja, abandonar no es más que otra forma de culpabilizar. Sólo supone una continuación de mi caja. Me llevo mis sentimientos conmigo. Es posible que abandonar sea lo que debamos hacer en determinadas situaciones. Pero, por sí solo, abandonar una situación nunca será suficiente, aunque fuese lo correcto. En último término, tengo que abandonar también mi caja.

—Sí, eso tiene sentido —admití.

—Entonces, añadámoslo a la lista —dijo Lou.

Lo que no funciona estando en la caja:
1. Tratar de cambiar a los demás.
2. Hacer todo lo que pueda por "enfrentarme" a los demás.
3. Abandonar.

»Consideremos otra —continuó Lou—. ¿Qué ocurre con la comunicación? ¿Funcionará eso? ¿Me permitirá eso salir de la caja?

—Bueno, parece probable que contribuya —contesté—. Si no puede uno comunicarse, no se tiene nada.

—Está bien —dijo Lou—, analicemos cuidadosamente este punto. —Miró la pizarra—. ¿A quién se refiere esta anécdota sobre autotraición? ¿A ti, Bud?

—Sí —contestó Bud.

—Ah, claro, ya veo el nombre de Nancy. Bien, pensemos en ello. Fíjese en esto, Tom, en la anécdota de Bud. Después de haberse traicionado a sí mismo, así fue como vio a Nancy: perezosa, desconsiderada, insensible y todo lo demás. Hagámonos de nuevo la pregunta. Si él tratara de comunicarse ahora con Nancy, estando en la caja, ¿qué le comunicaría?

—Oh —exclamé, sorprendido por las implicaciones—. Le va a comunicar lo que siente por ella, es decir, todos esos defectos.

—Exactamente. ¿Y cree que eso le ayudará? ¿Cree que Bud podrá salir de la caja diciéndole a su esposa todas esas cosas malas que él cree que es cuando está en la caja?

—No. Pero ¿y si fuera un poco más sofisticado? Con un poco de habilidad, podría comunicárselas de modo más sutil y no lanzárselas todas de sopetón o directamente.

—Eso es cierto —admitió Lou—. Pero recuerde que si Bud está en la caja, su actitud es culpabilizadora. Cierto que puede adquirir algunas habilidades que le permitan mejorar sus técnicas de comunicación, pero ¿cree de veras que esas habilidades consigan ocultar su culpabilización?

—No, supongo que no —contesté.

—A mí tampoco me lo parece así —afirmó Lou—. Cuando estoy en la caja, tanto si soy un buen comunicador como si no, termino por comunicar lo que hay en mi caja, y ese es precisamente el problema.

Se volvió hacia la pizarra y añadió «comunicarse» a la lista.

Lo que no funciona estando en la caja:

1. Tratar de cambiar a los demás.
2. Hacer todo lo que pueda por "enfrentarme" a los demás.
3. Abandonar.
4. Comunicarse.

—De hecho —añadió, apartándose de la pizarra—, esta cuestión sobre las habilidades se aplica a todas, en general, y no sólo a las de comunicación. Puede pensarlo del siguiente modo: no importa qué habilidad aprenda a utilizar porque cuando la aplique, estaré dentro o fuera de la caja. Lo que plantea una pregunta: ¿cree que utilizar una habilidad en la caja puede ser una forma de salir de ella?

—No, supongo que no —contesté.

—Por eso tiene a menudo tan poco impacto la enseñanza de habilidades en ámbitos que no sean los estrictamente técnicos. Las habilidades y técnicas útiles dejan de ser útiles si se aplican dentro de la caja. En tal caso, simplemente proporcionan a la gente formas más sofisticadas de culpabilizar a los demás.

—Y recuerde, Tom —añadió Bud— que los problemas personales que la mayoría de la gente trata de corregir no se deben a una falta de habilidad, sino a la autotraición. Los problemas personales parecen inabordables no porque sean insolubles, sino porque las intervenciones basadas en las habilidades comunes no aportan ninguna solución.

—Eso es exactamente así —confirmó Lou. Se volvió de nuevo para escribir—. Así que tampoco podemos salir de la caja limitándonos a aplicar nuevas habilidades y técnicas.

Lo que no funciona estando en la caja:
1. Tratar de cambiar a los demás.
2. Hacer todo lo que pueda por "enfrentarme" a los demás.
3. Abandonar.
4. Comunicarse.
5. Aplicar nuevas habilidades y técnicas.

Miré la pizarra y de pronto me sentí deprimido. «¿Qué más queda?», me pregunté.

—Hay otra posibilidad más que deberíamos considerar —dijo Bud—. Veamos: ¿y si trato de cambiarme a mí mismo, lo que es mi comportamiento? ¿Me permitirá eso salir de la caja?

—Da la impresión de que esa sería la única forma de salir —contesté.

—Analicémoslo —dijo Bud, que se levantó y empezó a pasear, como tenía por costumbre—. Es un punto complicado, pero importante. Pensemos de nuevo en un par de las anécdotas que expusimos ayer. ¿Recuerda la situación que le conté ayer sobre Gabe y Leon en el edificio seis?

Revisé rápidamente mis recuerdos, pero no encontré nada.

—No estoy seguro.

—Veamos, Gabe intentó hacer todo lo posible por hacerle saber a Leon que se preocupaba por él.

—Ah, sí, ya lo recuerdo.

—Bien. Gabe cambió espectacularmente su comportamiento con Leon, pero ¿ayudó eso en algo?

—No.

—¿Y por qué no?

151

—Porque, por lo que recuerdo, a Gabe no le importaba realmente Leon y eso fue lo que este último percibió, a pesar de todos los cambios superficiales en la actitud de Gabe.

—Exactamente. Puesto que Gabe estaba en la caja con respecto a Leon, cada cosa nueva que intentaba hacer desde dentro de la caja únicamente suponía un cambio dentro de la misma caja. Leon seguía siendo un objeto para él, a pesar de todos sus esfuerzos.

»Piense en eso —dijo Bud con énfasis, repitiendo—: Cada cosa nueva que Gabe intentaba hacer desde dentro de la caja únicamente suponía un cambio dentro de la misma caja.

Bud se sentó, antes de continuar.

—O piense en la anécdota en la que Nancy y yo discutimos, pero intenté disculparme para acabar con la discusión. ¿Lo recuerda?

—Sí —asentí.

—Pues ocurrió lo mismo —dijo Bud—. En ese caso, yo cambié de un modo radical: pasé de discutir a darle un beso. Pero ¿me permitió eso cambiar mi situación y salir de la caja?

—No, porque en el fondo no lo hizo de veras —contesté—. Seguía estando dentro de la caja.

—Exacto. Y de eso precisamente se trata —afirmó Bud, inclinándose hacia mí—. Como estaba dentro de la caja, no podía decirlo de veras. Cuando se está en la caja, todo cambio que se me ocurra poner en práctica no es más que un cambio en mi estilo de estar en la caja. Puedo pasar de discutir a besar, de ignorar a alguien a hacer todo lo posible por demostrar mi atención hacia esa persona. Pero sean cuales fueren los cambios que se me ocurran dentro de la caja, se me ocurrirán desde dentro de la caja, y por tanto serán en el fondo más de lo mismo, que es lo que constituye el problema, es decir, que los demás siguen siendo objetos para mí.

—Eso es cierto —asintió Lou, acercándose a la pizarra—. Así que considere las implicaciones, Tom. Tampoco puedo salir de la caja cambiando mi comportamiento.

Lo que no funciona estando en la caja:

1. Tratar de cambiar a los demás.
2. Hacer todo lo que pueda por "enfrentarme" a los demás.
3. Abandonar.
4. Comunicarse.
5. Aplicar nuevas habilidades y técnicas.
6. Cambiar mi comportamiento.

—Espere un momento —dije—. ¿Cómo es posible entonces salir de la maldita caja? ¿Quiere darme a entender que si estoy dentro e intento salir no podré hacerlo, que todos mis esfuerzos no serán más que estilos nuevos de hacer lo mismo y estarán condenados por tanto al fracaso?

—Eso es lo que estamos diciendo —asintió Bud.

—Vamos, Bud, eso no puede ser cierto. Afirma que no podré salir aunque trate de cambiar a los demás, haga todo lo posible por enfrentarme a ellos, abandone la situación, me comunique o aplique nuevas habilidades y técnicas. ¿Y encima afirma que ni siquiera podré salir aunque cambie yo mismo?

—Bueno, es evidente que no podrá salir mientras siga concentrando la atención en usted mismo, que es precisamente lo que hace cuando trata de cambiar su comportamiento dentro de la caja. Así que, en efecto, eso es lo que afirmamos —me contestó con serenidad.

—Pero entonces, ¿cómo se puede salir? Si lo que me dice es cierto, no hay forma de salir y todos estamos estancados.

—En realidad, nada más lejos de la verdad —intervino Lou—. Hay una forma de salir, aunque sea muy diferente a lo que todo el mundo suele suponer. Y es una forma que usted ya conoce, como ya le dije antes. Simplemente, no se ha dado cuenta aún de que ya lo sabe.

Le escuchaba con toda mi atención. Deseaba comprenderlo.

—Anoche estuvo usted fuera de la caja con respecto a su familia, ¿verdad?

—Supongo que sí.

—Así me lo pareció, al menos por lo que me contó —siguió diciendo Lou—. Y eso significa que hay una forma de salir, de modo que pensemos ahora en su experiencia de anoche. ¿Cree que anoche hizo algún intento por cambiar a su esposa y a su hijo?

—No.

—¿Tuvo la sensación de enfrentarse a ellos?

—No, tampoco.

—Y, evidentemente, tampoco los abandonó. ¿Qué me dice de la comunicación? ¿Salió acaso de la caja porque se comunicó?

—Bueno, quizá. Lo cierto es que nos comunicamos muy bien, como no lo habíamos hecho desde hacía mucho tiempo.

—Sí —asintió Lou—, pero ¿cree que salió de la caja porque se comunicó, o acaso se comunicó bien porque ya estaba fuera de la caja?

—Déjeme pensar —dije, más extrañado que nunca—. Ya estaba fuera de la caja… cuando me dirigía a casa, así que no creo que comunicarme fuera lo que me permitió salir.

—De acuerdo, veamos esto otro —dijo Lou, señalando el último punto de la lista—. ¿Salió de la caja porque se concentró en tratar de cambiarse a sí mismo?

Me quedé pensativo. «¿Qué me ocurrió exactamente ayer?» Terminó por ser una velada magnífica, pero de repente no tenía ni la menor idea de cómo había llegado hasta ese punto. Era como si unos alienígenas me hubiesen abducido. «¿Me propuse cambiarme a mí mismo?» No era eso lo que me indicaban mis recuerdos. Me sentía más bien como si algo me hubiera cambiado. De hecho, más bien daba la impresión de que me resistía a la sugerencia de que tenía que cambiar. «¿Qué ocurrió entonces? ¿Cómo salí de la caja? ¿Por qué cambiaron mis sentimientos?»

—No estoy seguro —contesté finalmente—, pero no recuerdo que tratara de cambiarme a mí mismo. De algún modo, terminé por cambiar, como si algo ajeno a mí me hubiera cambiado. Pero no tengo ni la menor idea de cómo ocurrió.

—Pues le voy a decir algo que quizá le ayude a comprenderlo —dijo Bud—. ¿Recuerda que ayer dijimos que la distinción entre estar dentro y estar fuera de la caja es más profunda que el comportamiento?

—Sí, lo recuerdo —contesté.

—También hablamos de la anécdota de los asientos en los aviones, trazamos aquel esquema con los comportamientos anotados en la parte superior y hablamos de que podemos realizar casi cualquier comportamiento en una de esas dos formas, dentro o fuera de la caja. ¿Lo recuerda?

—Sí.

—Considere entonces lo siguiente: si estar fuera de la caja es algo más profundo que el comportamiento, ¿cree que la clave para estar fuera será un comportamiento concreto?

Empecé a comprender lo que me estaba diciendo:

—No, supongo que no lo sería —contesté, confiando en que aquella idea pudiera conducirme a la respuesta.

—Correcto —asintió Bud—. Una de las razones por las que lucha tanto por comprender cómo se sale de la caja es que trata de identificar un comportamiento que le permita salir. Pero puesto que la caja es algo más profundo que el comportamiento, el camino para salir de ella también tiene que ser más profundo. Hemos dicho que casi cualquier comportamiento se puede realizar tanto dentro como fuera de la caja, de modo que no se puede salir de ella simplemente por medio del comportamiento. Intentar encontrar ahí la respuesta sería mirar en el sitio equivocado.

—En otras palabras —intervino Lou—, la pregunta contiene en sí misma un problema fundamental: «¿Qué necesito para salir de la caja?». El problema consiste en que cualquier cosa que le diga que haga, se puede hacer tanto dentro como fuera de la caja. Y si se hace en la caja, ese mismo comportamiento no puede servirnos para salir de ella, de modo que uno se sentiría tentado de decir: «Bueno, la respuesta debe de ser entonces realizar ese comportamiento fuera de la caja». Bien, eso me parece bastante justo. Pero resulta que si se está fuera de la caja, entonces tampoco se necesita realizar ese comportamiento concreto para estar fuera, ¿verdad? En cualquier caso, no es el comportamiento en sí lo que le permite salir, sino que se trata de algo más.

—Sí, pero ¿qué? —pregunté, casi rogando.

—Algo que tiene justo delante de usted.

21

El camino de salida

—**P**iense en lo ocurrido ayer —continuó Lou—. Acaba de decir que tuvo la sensación de que algo le hizo cambiar. Ahora tenemos que pensar en eso con un poco más de atención.

Lou se acercó al tablero.

—Deseo hablar un momento sobre autotraición y estar en la caja, para dejar bien claro algo que quizá no haya quedado explícito todavía.

Trazó el siguiente dibujo:

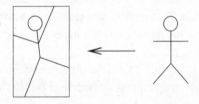

—Para empezar, esta es una imagen de lo que es la vida cuando se está en la caja —dijo, señalando el dibujo—. La caja es una metáfora de cómo me *resisto* a los demás. Por «resistirme» me refiero a que mi autotraición no es pasiva. Cuando estoy en la caja me resisto activamente a lo que la humanidad de los otros me pide que haga por ellos.

»Por ejemplo —dijo, indicando la anécdota de Bud, anotada en la pizarra—. En la anécdota en la que Bud no se levantó para que Nancy pudiera dormir, ese sentimiento inicial fue una impresión que tuvo acerca de algo que debería hacer por Nancy. Se traicionó a sí mismo al resistirse a ese sentido de lo que debería hacer por ella y, al resistirse, empezó a concentrarse en sí mismo y a verla a ella como no merecedora de su ayuda. Su autoengaño, el hecho de estar en la caja, es algo creado y mantenido por él mismo mediante su resistencia activa ante Nancy. Por eso, tal y como ha dicho Bud hace un momento, es inútil intentar salir de la caja concentrándonos en nosotros mismos. Cuando estamos dentro, todo lo que pensamos y sentimos forma parte de la mentira de la caja. La verdad es que cambiamos en el momento mismo en que dejamos de resistirnos a lo que hay fuera de la caja, es decir, a los demás. ¿Tiene eso sentido para usted?

—Sí, creo que sí.

—En el momento en que dejamos de resistirnos a los demás, estamos fuera de la caja, liberados de los pensamientos y sentimientos autojustificadores. Por eso, la forma de salir es algo que tenemos siempre directamente delante de nuestros ojos…, porque las personas a las que nos resistimos están directamente delante de nosotros. Podemos dejar de autotraicionarnos con respecto a ellas en cuanto dejemos de ofrecerles una resistencia activa.

—Pero, ¿qué me puede ayudar a hacer eso? —pregunté.

Lou me miró, pensativo.

—Hay algo más que debería comprender acerca de la autotraición, algo que puede proporcionarle el punto de apoyo que anda buscando.

»Piense en su experiencia de ayer con Bud y Kate. ¿Cómo la caracterizaría? ¿Diría que estuvo usted básicamente dentro o fuera de la caja con respecto a ellos?

—Oh, fuera, desde luego —contesté—, al menos durante la mayor parte del tiempo —añadí, dirigiéndole una sumisa sonrisa a Bud, que inmediatamente me la devolvió.

—Pero también ha indicado que ayer estuvo usted en la caja con respecto a Laura. Así que, en cierto modo, estuvo dentro y fuera de la caja al mismo tiempo: dentro con respecto a Laura, y fuera con respecto a Bud y Kate.

—Sí, supongo que es así.

—Esto es importante, Tom. En cualquier momento dado, yo siempre estoy dentro o fuera de la caja con respecto a cualquier persona o grupo de personas concretas. Pero puesto que hay tantas personas en mi vida, con respecto a algunas de las cuales puedo estar más en la caja que hacia otras, resulta que soy capaz de estar dentro y fuera de la caja al mismo tiempo. Dentro respecto de algunas, y fuera respecto de otras.

»Ese simple hecho nos proporciona el punto de apoyo para estar fuera en aquellos ámbitos de nuestras vidas en los que nos resistimos. En realidad, eso fue lo que le sucedió ayer. Permítame demostrarle lo que quiero decir.

Lou se acercó a la pizarra y modificó el dibujo.

Bud y Kate   Laura

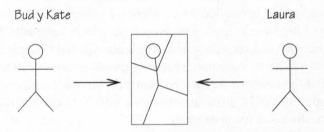

—Así podríamos representar cómo estaba usted ayer —dijo, haciéndose a un lado—. Estaba dentro de la caja con respecto a Laura, pero fuera mientras interactuaba con Bud y Kate. Ahora observe lo siguiente: aunque se resistió a las necesidades de Laura porque estaba dentro de la caja con respecto a ella, mantuvo a pesar de todo un cierto sentido de lo que los demás pudieran necesitar, en general, gracias a que estaba fuera de la caja con respecto a otros, es decir, Bud y Kate. Ese sentido de lo que sintió y a lo que hizo caso con respecto a Bud y Kate, combinado con la continua apelación que la humanidad de Laura le hace, y que siempre está ahí, presente, fue lo que le permitió salir de la caja con respecto a Laura.

»Así, aunque es cierto que desde dentro de la caja no podemos hacer nada por salir de ella, en los momentos en que estamos fuera, facilitados por nuestras relaciones con los demás desde fuera de la caja, podemos hacer una gran cantidad de cosas que nos ayuden a reducir los momentos que estamos dentro y a curar las relaciones que mantenemos desde dentro. De hecho, su experiencia de ayer con Bud y Kate le permitió hacer algo mientras estaba fuera de la caja con respecto a ellos, y eso le ayudó también a salir de la caja con respecto a Laura.

—¿Qué fue lo que hice? —pregunté buscando infructuosamente en mi mente.

—Cuestionó usted su propia virtud.

—¿Qué?

—Cuestionó su propia virtud. Mientras estuvo fuera de la caja, escuchó lo que Bud y Kate le enseñaron acerca de estar dentro. Luego, eso lo aplicó a sus propias situaciones personales. La naturaleza de su experiencia fuera de la caja con Bud y Kate le invitó a hacer algo que nunca hacemos cuando estamos dentro: le invitó a cuestionar si estaba realmente tan fuera de la caja como suponía estar en otros ámbitos de su vida. Y lo que aprendió transformó su visión de Laura.

»Ahora bien, muy probablemente eso no sucedió como llovido del cielo, pero apostaría a que hubo un momento en que debió de ser como una luz que entra en su interior, un momento en que sus emociones culpabilizadoras hacia Laura parecieron evaporarse y en que, de repente, ella le pareció muy diferente a como la había percibido apenas un momento antes.

«Eso fue exactamente lo que ocurrió», pensé para mis adentros. Recordé aquel momento, cuando vi la hipocresía que había en mi enfado. Fue como si todo cambiara en un instante.

—Eso es cierto —admití—. Eso fue lo que sucedió.

—En tal caso, tenemos que cambiar aún más este dibujo —siguió diciendo Lou, que se volvió hacia la pizarra. Tras reformar el dibujo se apartó—. Este es el aspecto que ofrecía la situación anoche, cuando usted se marchó.

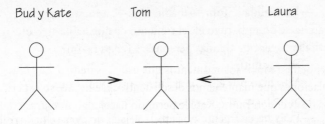

Bud y Kate | Tom | Laura

»En ese momento estaba viendo y sintiendo directamente. Laura le pareció diferente porque, en cuanto salió de la caja con respecto a ella, ya no necesitó culpabilizarla ni exagerar sus defectos.

»En cierto modo, esto es como algo milagroso. Pero en otro sentido es lo más común del mundo. Ocurre siempre en nuestra vida, casi siempre en cuestiones pequeñas, que olvidamos con rapidez. De repente, nuestra caja se ve penetrada por la humanidad de los otros, debido a la «otredad» básica de los demás, que están continuamente delante de nosotros, y a lo que sabemos cuando estamos fuera de la caja con respecto a otras personas. En ese momento sabemos lo que necesitamos hacer: respetarlos como *personas*. Y en ese preciso momento, en cuanto veo al otro como persona, con necesidades, esperanzas y preocupaciones tan reales y legítimas como las propias, estoy fuera de la caja.

—Puede verlo del siguiente modo —intervino Bud—. Fíjese de nuevo en esta anécdota —añadió, señalando el esquema sobre el bebé que llora—. Una vez que tengo el sentimiento de que debería hacer algo por otro, ¿dónde estoy en este esquema?

Miré la pizarra.

—Vuelve a estar situado en la parte superior, de regreso al sentimiento.

—Exactamente. He vuelto a salir de la caja. Ahora puedo elegir la otra dirección. Puedo decidirme por respetar ese sentimiento, en lugar de traicionarlo. Y eso, Tom, es la clave para permanecer fuera de la caja.

—En realidad, Tom —añadió Lou—, apuesto a que ayer, al marcharse de aquí, tuvo el sentimiento de que había algo que necesitaba hacer por algunas personas. ¿Tengo razón?

—Sí —admití.

—Y lo hizo por ellas, ¿verdad? —preguntó Lou.

—Sí, lo hice.

—Pues precisamente por eso la velada de ayer se desarrolló como lo hizo. Durante el tiempo que estuvo con Bud y Kate, salió de la caja con respecto a Laura, y también respecto a Todd. Pero la velada se desarrolló bien porque permaneció usted fuera de la caja al hacer por ellos algo que tenía el sentimiento de que debía hacer.

Lo que dijo Lou pareció explicar bastante bien la velada pasada con Laura y Todd, pero me dejó un tanto confundido y abrumado por las situaciones, en general. ¿Cómo podía esperarse que la gente hiciera por los demás todo lo que sintiera que debía hacer? Eso no me parecía correcto.

—¿Me está diciendo que, para permanecer fuera de la caja, siempre tengo que hacer cosas por los demás?

Lou sonrió, como si hubiera esperado aquella pregunta.

—Esa es una pregunta importante, Tom. Necesitamos considerarla con atención, quizá con un ejemplo específico. —Guardó un momento de silencio, como si reflexionara—. Pensemos en conducir un coche. ¿Cuál diría que es su actitud habitual hacia los demás conductores?

Sonreí para mis adentros al recordar una serie de situaciones características. Recordé haberle levantado el puño a un conductor que no quiso aminorar la marcha para dejarme entrar en la vía principal, para descubrir, después de que lograra hacerlo, que se trataba de mi vecino. Y también recuerdo la mirada furibunda que le dirigí al conductor de un coche exasperantemente lento al que por fin pude adelantar, para descubrir horrorizado que se trataba del mismo vecino.

—Supongo que me muestro bastante indiferente hacia ellos.

—Tras una breve pausa y una sonrisa, incapaz de contener la broma, añadí—: A menos, claro está, que se interpongan en mi camino.

—Vaya, parece que todos hemos ido a la misma escuela de conducir —dijo Lou, devolviéndome la sonrisa—. Pero ¿sabe una cosa? De vez en cuando he experimentado sentimientos muy diferentes hacia otros conductores. Por ejemplo, a veces se me ocurre pensar que cada uno de los conductores que encuentro está tan ocupado como yo y tan agobiado con su propia vida como pueda estarlo yo con la mía. En esos momentos, salgo de la caja con respecto a ellos y entonces me parecen muy diferentes. En cierto modo, tengo la sensación de que al comprenderlos, puedo relacionarme con ellos, a pesar de no saber básicamente nada de ninguno.

—Sí —asentí—, también he pasado por esa experiencia.

—Bien. Entonces sabe de qué estoy hablando. Teniendo en cuenta esa clase de experiencia, consideremos ahora su pregunta. Le preocupa que, para estar fuera de la caja, tenga que hacer por los demás todo lo que surja en su cabeza. Y eso le parece algo abrumador e incluso estúpido. ¿No es así?

—Sí, esa es una forma de decirlo.

—Bien —dijo Lou—, tenemos que reflexionar entonces sobre si estar fuera de la caja es lo que crea la abrumadora corriente de obligaciones que le preocupan. Veamos la situación de la conducción. En primer lugar, pienso en las personas que conducen sus coches muy por delante y muy por detrás de mí. El estar fuera de la caja, ¿cree usted que supondrá una gran diferencia en mi comportamiento exterior hacia ellos?

—No, supongo que no.

—¿Y en cuanto a los conductores que están más cerca de mí? ¿Cree que estar fuera de la caja cambiaría mi comportamiento exterior hacia ellos?

—Probablemente.

—Muy bien, ¿cómo? ¿Qué podría hacer de modo diferente?

Por un momento, imaginé ver a mi vecino por el espejo retrovisor.

—Bueno, probablemente no impediría tanto el paso a otros.

—Muy bien. ¿Qué más?

—Lo más probable es que condujera de modo más seguro y considerado hacia los demás y..., ¿quién sabe?, hasta es posible que sonriera un poco más —añadí, pensando en la mirada resplandeciente que dirigí al hombre que también resultó ser mi vecino.

—Muy bien, es suficiente. Ahora, observe lo siguiente: ¿le parecen abrumadores o engorrosos esos cambios de comportamiento?

—No, desde luego.

—Siendo así, el estar fuera de la caja y ver a los demás como personas no significa que me vaya a ver repentinamente bombardeado por molestas obligaciones. Y ello es así porque la obligación básica que tengo como persona, que es ver a los demás como personas, queda satisfecha en muchos casos por el cambio fundamental en mi forma de ser con los demás, que se produce en cuanto salgo de la caja. ¿Tiene eso sentido, Tom?

—Sí, creo que lo tiene.

—Permítame añadir un punto más. —Lou se inclinó hacia delante y cruzó los brazos sobre la mesa—. A veces se dan circunstancias en las que tenemos impresiones específicas de cosas adicionales que deberíamos hacer por los demás, sobre todo respecto de aquellas personas con las que pasamos más tiempo: familiares, amigos o compañeros de trabajo. Conocemos a esas personas, tenemos un sentido bastante bueno de sus propias esperanzas, necesidades, preocupaciones y temores, y es mucho más probable que les hayamos causado daño en algún momento. Todo ello incrementa la obligación que sentimos hacia ellas, como debe ser.

»Ahora bien, tal como hemos dicho, para permanecer fuera de la caja es muy importante respetar lo que nuestra sensibilidad de estar fuera de la caja nos indica que debemos hacer por esas personas. No obstante, y esto es importante, eso no quiere decir necesariamente que terminemos por hacer todo lo que sintamos que sería ideal hacer. También nosotros tenemos nuestras propias responsabilidades y necesidades que exigen atención, y es muy posible que a veces no podamos ayudar a los demás tanto o tan pronto como desearíamos. Pero hacemos todo lo que podemos, teniendo en cuenta las circunstancias, y lo hacemos porque estamos fuera de la caja, porque vemos a los demás como personas y porque eso es lo que deseamos hacer. —Lou me miró con firmeza—. Ha aprendido algo sobre las imágenes autojustificadoras, ¿verdad?

—Sí.

—Pues entonces ya comprende la inseguridad con la que vivimos cuando estamos en la caja, desesperados por demostrar a todos que tenemos justificación para hacer lo que hacemos, que somos reflexivos, valiosos o nobles. Resulta bastante abrumador tener que demostrar siempre nuestra virtud. De hecho, cuando nos sentimos abrumados no suele ser por nuestras obligaciones hacia los demás, sino por la desesperación que se produce dentro de la caja por demostrar sobre nosotros mismos algo que nos parece abrumador. Si examina su vida, creo que lo comprenderá, y que probablemente se sentirá abrumado, lleno de obligaciones y sobrecargado en mucha mayor medida cuando está en la caja que cuando está fuera. Para empezar, puede comparar lo sucedido anoche con su familia con las noches anteriores.

«Eso es cierto —pensé—. Anoche fue… la primera vez en mucho tiempo en la que me desviví por hacer algo por Laura y Todd, y fue la velada más agradable y fácil que he pasado en no sé cuánto tiempo.»

Lou guardó silencio y Bud preguntó:

—¿Ayuda eso a contestar su pregunta, Tom?

—Sí, ayuda mucho. —Luego le sonreí a Lou—. Gracias.

Lou asintió con un gesto y se sentó de nuevo, aparentemente satisfecho. Miró por la ventana, hacia la lejanía. Bud y yo esperamos a que hablara.

—Hace ya muchos años, cuando participé en aquel seminario en Arizona —dijo finalmente—, aprendiendo de otros del mismo modo que usted aprende aquí de Bud y de Kate, mis cajas empezaron a fundirse. Lamenté profundamente mi forma de actuar con otras personas que trabajaban en la empresa. Y, en el momento en que experimenté aquel pesar, estuve fuera de la caja con respecto a ellas.

»El futuro de Zagrum dependía de que pudiera mantenerme fuera de la caja. Pero sabía que, para conseguirlo, antes tenía que hacer algunas cosas, y con toda rapidez.

22

Liderazgo fuera de la caja

—*P*ara comprender lo que necesitaba hacer —dijo Lou, levantándose de la silla—, debe comprender la naturaleza de mi autotraición. —Empezó a caminar a lo largo de la mesa—. Supongo que hubo muchas autotraiciones, pero mientras reflexionaba sobre lo aprendido en Arizona me di cuenta de que en el trabajo me había traicionado a mí mismo de una forma importante. Y lo que hemos descubierto desde entonces es que casi todos los empleados se autotraicionan de la misma manera fundamental. Así que todo lo que hacemos aquí está diseñado para ayudar a nuestra gente a evitar esa autotraición y a permanecer fuera de la caja. Nuestro éxito en ese cometido ha constituido la clave de nuestro éxito en el mercado.

—¿Y qué es? —pregunté.

—Bueno, antes permítame preguntarle lo siguiente —dijo Lou—. ¿Cuál es el propósito de nuestros esfuerzos en el trabajo?

—Conseguir resultados juntos —contesté.

—Excelente —asintió Lou, aparentemente impresionado.

—En realidad, Bud ya me habló de eso ayer —le dije con cierta timidez.

—Oh, ¿han hablado ya de la autotraición fundacional en el trabajo? —preguntó, mirando a Bud.

—No. Hablamos de cómo cuando estamos en la caja no podemos concentrarnos verdaderamente en los resultados, porque estamos demasiado ocupados concentrados en nosotros mismos —dijo Bud—, pero no profundizamos en el tema.

—De acuerdo —asintió Lou—. Bien, Tom, ¿desde cuándo lleva usted con nosotros?, ¿aproximadamente un mes?

—Sí, poco más de un mes.

—Hábleme de cómo vino a unirse a nosotros, en Zagrum.

Les relaté a ambos los momentos culminantes de mi carrera en Tetrix, la admiración que desde hacía tiempo me había despertado Zagrum, y los detalles de mi proceso de entrevistas.

—¿Qué sintió cuando se le ofreció el puesto?

—Oh, me sentí encantado.

—El día antes de empezar a trabajar, ¿tuvo sentimientos positivos acerca de los que pronto serían sus compañeros? —me preguntó Lou.

—Oh, desde luego —contesté—. Me entusiasmaba la idea de empezar.

—¿Tuvo la sensación de querer ser útil para ellos?

—Sí, desde luego que sí.

—Y al pensar en lo que haría en Zagrum y en qué actitud adoptaría en el trabajo, ¿qué se imaginaba?

—Bueno, me imaginé trabajando duro, haciendo todo lo que pudiera por ayudar a la empresa a alcanzar el éxito —contesté.

—Muy bien —asintió Lou—, de modo que antes de empezar ya experimentó la sensación de que haría todo lo que pudiera por ayudar a Zagrum y a sus empleados a alcanzar el éxito o, como dijo antes, a conseguir resultados.

—Sí —corroboré.

Lou se dirigió a la pizarra.

—¿Te parece bien si cambio un poco esto, Bud? —le preguntó, señalando el esquema de la anécdota del bebé que lloraba.

—Desde luego. Adelante, por favor —dijo Bud.

Lou borró parte del esquema y añadió otras cosas. Luego se apartó y sobre la pizarra quedó escrito lo siguiente:

Sentimiento: «Hacer todo lo que pueda por ayudar a la empresa
y a sus empleados a conseguir resultados»

ELECCIÓN

Hacerlo   No hacerlo
«Autotraición»

Falta de compromiso
Falta de integración
Provocar problemas
Conflicto
Falta de motivación
Estrés
Mal trabajo en
   equipo
Cotilleos
Malas actitudes
Camarillas
Falta de confianza
Falta de
   responsabilidad
Problemas de
   comunicación

Cómo empecé a verme a mí mismo	Cómo empecé a ver a los compañeros
Víctima	Perezosos
Trabajador	Desconsiderados
Importante	Desagradecidos
Justo	Insensibles
Sensible	Simuladores
Buen director	Malos directores
Buen trabajador	Malos trabajadores

—Observe, Tom —dijo—. Al asumir un nuevo puesto de trabajo, la mayoría de la gente experimenta más o menos los mismos sentimientos que usted. Se sienten agradecidos por el empleo y la oportunidad que se les ofrece. Desean hacer todo lo que puedan por su empresa y por la gente que trabaja en ella.

»Pero si entrevistara a esa gente un año más tarde —siguió diciendo—, vería que sus sentimientos suelen ser diferentes. Frecuentemente, sus sentimientos hacia muchos de sus compañeros de trabajo se asemejan a los que experimentó Bud hacia Nancy en la anécdota que contó ayer. Y a menudo descubrirá que personas que antes habían estado comprometidas, integradas, motivadas, con ganas de trabajar como un equipo, etcétera, tienen luego

169

problemas en muchos de esos ámbitos. ¿Y a quiénes cree usted que achacan ellos todos esos problemas?

—A todos los que trabajan en la empresa, exceptuándose a sí mismos —contesté—. Al jefe, a los compañeros, a la gente a la que dirigen e incluso a la misma empresa.

—Sí. Ahora, sin embargo, sabemos lo que ocurre en realidad. Cuando culpabilizamos, lo hacemos por nosotros mismos, no a causa de los demás.

—Pero ¿es siempre así? —pregunté—. Después de todo, el jefe que tenía en Tetrix era terrible. Creaba toda clase de problemas. Y ahora comprendo por qué: porque estaba encerrado en la caja. Maltrataba a todos los de su departamento.

—Sí —asintió Lou— y por mucho que nos esforcemos aquí, en Zagrum, siempre se va a encontrar con gente que también le maltratará. Pero fíjese en este esquema —dijo, señalando la pizarra—. ¿Le parece que este empleado culpabiliza a sus compañeros por lo que le han hecho a él, sea eso lo que fuere? O, por expresarlo de otro modo: ¿nos metemos en la caja debido a que otras personas ya están dentro de la caja? ¿Es eso lo que nos induce a estar en la caja?

La respuesta, naturalmente, era negativa.

—No, nos metemos en la caja porque nos autotraicionamos. Eso lo comprendo bien. Pero supongo que mi pregunta plantea más bien: ¿no es posible culpabilizar a alguien sin estar en la caja?

Lou me miró intensamente.

—¿Se le ocurre algún ejemplo específico sobre el que podamos reflexionar? —preguntó.

—Desde luego —contesté—. Sigo pensando en mi antiguo jefe en Tetrix. Supongo que lo he estado culpabilizando desde hace mucho tiempo. Pero lo que quiero decir en el fondo es que es un verdadero inútil y un gran problema.

—Está bien, pensemos en eso —asintió Lou—. ¿Cree que es posible reconocer cómo puede ser alguien un gran problema sin estar en la caja y culpabilizarlo?

—Sí, creo que sí —contesté—. Pero si lo culpabilizo, ¿quiere eso decir que estoy necesariamente en la caja?

—Bueno, puede considerarlo del siguiente modo —dijo Lou—. ¿Cree que su culpabilización ayuda a la otra persona a mejorar?

De repente, me sentí desenmascarado, como si una gran mentira estuviera a punto de ser del conocimiento público.

—No, probablemente no.

—¿Probablemente? —insistió Lou.

—Bueno, no, está claro que mi culpabilización no ayudará al otro a mejorar.

—En realidad —puntualizó Lou—, ¿no le parece que sería precisamente su culpabilización lo que induciría a esa persona a ser peor?

—Sí, supongo que sí —tuve que admitir.

—Entonces, ¿cree que esa culpabilización sirve para algún propósito útil que ayude a la empresa y a sus empleados a conseguir resultados? ¿Existe algún propósito fuera de la caja al que sirva o resulte útil esa culpabilización?

No supe qué decir. La verdad es que para mi culpabilización no había propósito alguno fuera de la caja. Lo sabía muy bien. Había estado dentro de la caja con respecto a Chuck durante años. La pregunta planteada a Lou no fue más que una forma de sentirme justificado por mi culpabilización. Pero mi necesidad de justificación no hizo sino desenmascarar mi autotraición. Lou me había obligado a mirar de frente mi propia mentira.

—Supongo que no —dije.

—Sé lo que está pensando ahora, Tom —intervino Bud—. Ha tenido la desgracia de trabajar con alguien que estaba con frecuencia en la caja. Y fue una experiencia dura. Pero fíjese que, en esa clase de situaciones, a mí también me resulta bastante fácil entrar en la caja, porque la justificación es muy fácil: ¡el otro es un inútil! No obstante, recuerde que una vez que entro en la caja en respuesta a eso, necesito que el otro siga siendo un inútil para que yo pueda seguir culpabilizándolo de serlo. Y no tengo que hacer nada más que entrar en la caja con respecto a él para invitarlo a que siga siendo de ese modo. Mi culpabilización induce al otro a ser aquello mismo por lo que lo culpabilizo. Es decir, como estoy dentro de la caja, necesito problemas.

»¿No le parece que sería mucho mejor tener la capacidad para reconocer las cajas de los demás sin culpabilizarlos por estar en ellas? —me preguntó—. Después de todo, sé muy bien lo que es estar en la caja porque una parte del tiempo también me lo paso allí. Fuera de la caja puedo comprender lo que es estar dentro. Y puesto que cuando estoy fuera no necesito inducir a los otros a ser unos inútiles, lo que consigo con ello es aliviar, en lugar de exacerbar las situaciones difíciles.

»Aquí se puede aprender también otra lección. Ya se ha dado cuenta de lo nocivo que resulta ser un líder en la caja, puesto que induce a todos los que trabajan para él a meterse igualmente en sus cajas. La lección que de ello se deriva es que se necesita ser una clase diferente de líder. Esa es su obligación como líder. Cuando está dentro de la caja, la gente lo sigue, si es que lo hace, sólo por medio de la fuerza o la amenaza de emplearla. Pero eso no es liderazgo, sino coacción. Los líderes que la gente elige seguir son aquellos que están fuera de la caja. Repase su vida y verá que es así.

El rostro de Chuck Staehli desapareció de mi mente y vi a Amos Page, mi primer jefe en Tetrix. Habría hecho cualquier cosa por Amos. Era un hombre duro, exigente, y capaz de estar fuera de la caja como cualquier otra persona que pudiera imaginar. Su entusiasmo por el trabajo y por la industria impuso el curso que siguió toda mi carrera. Había transcurrido mucho tiempo desde la última vez que viera a Amos, y tomé nota mental de buscarlo y ver cómo le iban las cosas.

—Así pues, Tom, su éxito como líder depende de liberarse de la autotraición. Sólo entonces se invita a los otros a liberarse igualmente de traicionarse a sí mismos. Sólo entonces está creando a otros líderes, colaboradores que le responderán, en los que podrá confiar y con los que deseará trabajar. Le debe usted a su gente el estar fuera de la caja. Le debe usted a Zagrum el estar fuera de la caja para ellos.

Bud se levantó.

—Permítame darle un ejemplo de la clase de líder que necesitamos que sea —dijo—. Mi primer proyecto como abogado novato fue convertirme en un experto en derecho de caravanas en California. Los resultados de mi investigación serían cruciales para uno de los clientes más importantes del bufete para el que trabajaba, ya que los planes de expansión de ese cliente exigían la adquisición de grandes zonas de terrenos ocupados por aquel entonces por parques de caravanas.

»La abogada que supervisaba el proyecto era Anita Carlo, alguien que trabajaba en el bufete desde hacía cuatro años, y a la que le quedaban tres años de trabajo para que se considerase la posibilidad de aceptarla como socia. Un abogado novato puede permitirse cometer unos pocos errores, pero otro que lleva cuatro años en el mismo bufete no dispone de ese lujo. Se supone que después de esos años ya debe estar curtido, ser digno de confianza y competente. Generalmente, cualquier error grave cometido a esas alturas en un bufete de abogados cuenta como un baldón cuando se trata de decidir su aceptación como socio.

»Bien, me entregué de lleno al proyecto. Durante una semana me convertí probablemente en el mejor experto mundial en derecho de caravanas en California. Hasta ahora, todo muy bien, ¿verdad? Luego, expuse mi análisis en un extenso memorándum. Anita y el socio principal que supervisaban el proyecto se sintieron contentos porque el resultado fue bueno para nuestro cliente. Todo salió bien y yo me convertí en un héroe.

»Unas dos semanas más tarde, Anita y yo estábamos trabajando en el despacho. Casi de pasada, ella dijo: "Ah, a propósito, tenía ganas de preguntarle algo: ¿comprobó usted las adendas en todos los libros que utilizó para su investigación sobre los caravanas?".

No estaba familiarizado con el término empleado por Bud.

—¿Adendas? —pregunté.

—Sí, ¿ha estado alguna vez en una biblioteca de derecho?

—Sí.

—Entonces sabrá lo gruesos que son los libros de derecho.

—Desde luego.

—El caso es que los gruesos libros de derecho plantean un desafío de impresión que se soluciona con lo que solemos llamar adendas. Permítame explicarle. Los libros de consulta que se utilizan en un bufete necesitan de una revisión constante para reflejar las últimas incorporaciones al derecho. Para evitar las reimpresiones frecuentes de libros que son muy caros, la mayoría de las obras de consulta incluyen al final una bolsa donde se guardan las actualizaciones mensuales que se produzcan, llamadas adendas.

—Entonces, lo que Anita le preguntaba era si, cuando llevó a cabo su análisis, había comprobado usted las versiones más actualizadas del derecho.

—Exactamente. En cuanto me hizo la pregunta, hubiera querido echar a correr y esconderme porque lo cierto es que, arrastrado por mi entusiasmo, ni siquiera se me ocurrió comprobar las adendas.

»Así que corrimos a la biblioteca del bufete y empezamos a sacar todos los libros de consulta que había utilizado. ¿Y sabe qué? Resultó que la ley había cambiado, y no sólo de una manera marginal, sino tan fundamental que lo variaba todo. Había hecho que el cliente se metiera de cabeza en una pesadilla legal y en un problema grave de relaciones públicas.

—¿Bromea? —pregunté.

—Me temo que no. Anita y yo regresamos al despacho para darle la mala noticia a Jerry, el socio principal supervisor del proyecto. En ese momento se encontraba en otra ciudad, así que lo llamamos por teléfono. Y ahora piense, Tom. Si fuera usted Anita Carlo, permanentemente examinada para una posible asociación con el bufete, ¿qué le habría dicho a Jerry?

—Oh, que el abogado novato había cometido un tremendo error, o algo así —contesté—. Habría encontrado alguna forma de hacerle saber que lo ocurrido no había sido por culpa mía.

—Yo también habría actuado así. Pero no fue eso lo que ella hizo. Lo que dijo fue: «Jerry, ¿recuerda aquel análisis de expansión? Resulta que he cometido un error grave y que se acaba de cambiar esa ley. Se me pasó por alto. Nuestra estrategia de expansión está totalmente equivocada».

»Yo la escuchaba con la boca abierta. Era yo el que lo había echado todo a perder, no Anita, pero ella, a pesar de haber tantas cosas en juego, asumía la responsabilidad del error. En la conversación que mantuvo con Jerry no deslizó ni un solo comentario que me señalara a mí.

»"¿Qué quiere decir con eso de que ha cometido usted un error?", le pregunté a Anita después de que colgara el teléfono. "Fui yo el que no comprobó las *adendas*." A lo que ella me respondió: "Es cierto que debería usted haberlas comprobado. Pero yo soy su primera supervisora y, a lo largo del proceso, hubo una serie de veces en las que pensé que debía recordarle el comprobarlas, algo que no hice hasta hoy. Si le hubiera preguntado cuando sentí que debía hacerlo, nada de esto habría sucedido. Así que, en efecto, usted cometió un error, pero yo también".

»Y ahora, piense en lo ocurrido, Tom —siguió diciendo Bud—. ¿Cree que Anita me podría haber culpabilizado?

—Desde luego.

—Y habría estado justificada en culpabilizarme, ¿verdad? Después de todo, yo había cometido un error y era por tanto culpable.

—Sí, supongo que eso es así.

—Y, sin embargo, fíjese —añadió Bud con vehemencia—, ella no necesitó culpabilizarme, a pesar de que yo hubiera cometido un error, porque no estaba en la caja y, al estar fuera, no tenía necesidad alguna de justificación.

Bud guardó un momento de silencio y se sentó.

—Y ahora viene lo interesante: al asumir la responsabilidad por el error, ¿cree usted que Anita hizo que yo me sintiera menos o más responsable por mi propio error?

—Oh, más, desde luego —contesté.

—En efecto —asintió Bud—. Cien veces más. Al negarse a buscar una justificación para su error, relativamente pequeño, me invitó a asumir mi responsabilidad por el gran error que yo había cometido. A partir de ese momento, habría hecho cualquier cosa por Anita Carlo.

»Pero piense en cómo habría cambiado mi actitud si ella me hubiera culpabilizado. ¿Cómo cree que habría reaccionado si Anita me hubiese acusado al hablar con Jerry?

—Bueno, no sé qué habría hecho usted exactamente, pero probablemente habría empezado a encontrar algunas debilidades en ella que, al final, la hubiesen convertido en una persona con la que le sería difícil trabajar.

—Exactamente. Y tanto Anita como yo nos habríamos concentrado en nosotros mismos, en lugar de aquello en lo que necesitábamos concentrarnos más que nunca: el resultado para el cliente.

—Y eso —intervino Lou— fue exactamente lo que comprendí que era mi problema cuando estuve en Arizona aprendiendo este material. Había fallado de una serie de formas al no hacer todo lo que pude por ayudar a Zagrum y a sus empleados a conseguir resultados. En otras palabras —dijo, señalando la pizarra—. Había traicionado mi sentido de lo que necesitaba hacer por los demás en la empresa. Y al hacerlo así, me enterré en la caja. No me había concentrado en absoluto en los resultados, sino en mí mismo. Y, como consecuencia de esa autotraición, culpabilicé a los demás por todo. Este esquema se refería a mí —dijo, señalando el diagrama—. Veía a todos los que trabajaban en la empresa como problemas, y me consideraba a mí mismo como víctima de su incompetencia.

»Pero en aquel momento de toma de conciencia, un momento que cabría esperar que fuese oscuro y deprimente, experimenté la primera sensación de felicidad y esperanza que había sentido desde hacía muchos meses por mi empresa. Sin saber todavía muy bien adónde me llevaría todo aquello, tuve la abrumadora sensación de que había algo, una primera cosa, que necesitaba hacer. Algo que tenía que hacer para empezar a salir de la caja.

»Tenía que ver a Kate.

23
El nacimiento de un líder

—**S**alimos de California a la noche siguiente con los ojos enrojecidos. Habíamos tenido la intención de pasar unos días en San Diego, antes de regresar a casa, pero todos nuestros planes cambiaron. Sabía que Kate empezaría su nuevo trabajo en la zona de la bahía de San Francisco en apenas unos pocos días más. Confiaba desesperadamente en encontrarla todavía en su casa, antes de que eso sucediera. Necesitaba entregarle algo —dijo Lou, mirando de nuevo a lo lejos, por la ventana—. Necesitaba llevarle una escalera.

—¿Una escalera? —pregunté.

—Sí, una escalera. Una de las últimas cosas que le hice a Kate antes de que se marchara fue exigir que se quitara una escalera de la zona de ventas. Su departamento había decidido utilizar la escalera como ayuda visual para promover algunos objetivos de ventas. A mí me pareció una idea estúpida y así se lo dije cuando me la pidió. Pero ellos siguieron adelante de todos modos. Más tarde, aquella misma noche, les dije a los del almacén que retiraran la escalera de la sala. Tres días más tarde, ella y otros cuatro miembros del grupo de la llamada «disolución de marzo» me presentaron sus preavisos de dimisión con dos meses de antelación. Enfurecido, en menos de una hora hice que el personal de seguridad los echara de la empresa. Ni siquiera les permití que regresaran a solas a sus respectivos despachos. «No puedo confiar en nadie que se revuelva de ese modo contra mí», pensé. Y aquella era la última vez que había visto o hablado con Kate.

»No lo puedo explicar, pero sabía que necesitaba llevarle una escalera. Aquello era un símbolo de otras muchas cosas. Y así lo hice.

»Carol y yo llegamos al aeropuerto Kennedy hacia las seis de la madrugada de un domingo por la mañana. Le pedí al chófer de la empresa que llevara a Carol a casa y luego me llevara a mí a la empresa, donde revisé una buena media docena de armarios hasta que encontré una escalera. Luego, la sujetamos en la baca del coche y me dirigí hacia la casa de Kate, en Litchfield. Eran aproximadamente las nueve y media de la mañana del domingo cuando hice sonar el timbre de su puerta.

»La puerta se abrió y apareció Kate. Sus ojos se agrandaron como platos al verme allí. "Antes de que me digas nada, Kate, soy yo el que tengo algo que decirte, aunque ni siquiera sé por dónde empezar. Antes que nada, debo decirte que lamento molestarte un domingo por la mañana, pero esto es algo que no podía esperar. Yo…, bueno…"

»De repente, Kate se echó a reír a carcajadas. Doblada por la risa contra el marco de la puerta, me dijo finalmente: "Lo siento, Lou. Sé que seguramente tienes algo muy serio que decirme, pues de otro modo no estarías aquí, pero resulta cómico verte medio agachado por el peso de esa escalera que llevas a cuestas. Vamos, deja que te ayude a descargarla".

»"Sí (le dije), precisamente quería hablarte de la escalera. Es una forma tan buena de empezar como cualquier otra. Nunca debería haber hecho lo que hice. Si quieres que te diga la verdad, ni siquiera sé por qué lo hice. No tendría que haberme importado lo más mínimo."

»Kate ya había dejado de reír y me escuchaba con mucha atención. "Mira, Kate (seguí diciéndole). He sido un verdadero asno. Tú lo sabes mejor que nadie. Lo sabe todo el mundo. Pero yo no me enteré hasta hace dos días. De todos modos, no podía darme cuenta. Pero te aseguro que ahora lo veo todo claro. Me aterroriza darme cuenta de lo que les he hecho a las personas que más me importan en la vida. Y entre esas personas te encuentras tú."

»Ella se quedó allí de pie, escuchándome. No pude adivinar qué estaría pensando.

»"Sé que te han ofrecido algo bastante bueno (le seguí diciendo). Y no me quedan muchas esperanzas de que regreses con nosotros a Zagrum…, no después de mi comportamiento. Pero he venido para rogarte que lo hagas. Hay algo de lo que deseo hablar contigo, y luego, si así me lo dices, me marcharé y no te volveré a molestar. Pero me doy cuenta de que he causado mucho daño a todos, y creo que ahora sé cómo evitar que vuelva a suceder. Tengo que hablar contigo."

»Ella se apartó de la puerta, invitándome a entrar y se limitó a decirme: "Está bien. Te escucharé".

»Durante las tres horas siguientes hice todo lo que pude por compartir con ella lo que había aprendido acerca de la caja y todo lo demás. Creo que lo expuse todo bastante mal —dijo Lou mirándome con una sonrisa—. Pero, la verdad, no fue tan importante lo que dije, sino el hecho de que ella se diera cuenta de que fuera lo que fuese lo que le contaba, lo decía muy en serio.

»Finalmente, me dijo: "Está bien, Lou. Pero tengo una pregunta que hacerte: si regresara a la empresa, ¿cómo puedo saber que no se trataría de ningún cambio temporal? ¿Por qué correr ese riesgo?".

»Creo que los hombros me dolían un poco. No supe qué decirle. "Es una buena pregunta (finalmente pronuncié). Desearía poder decirte que no te preocuparas, pero me conozco bien, y tú también. Esa es una de las cosas sobre las que quiero hablar contigo. Necesito tu ayuda."

»Luego le expuse un plan rudimentario. "Tienen que suceder dos cosas (le dije). Primero, tenemos que instituir en la empresa un proceso mediante el cual podamos ayudar a la gente a tomar conciencia de que están dentro de la caja y de que, en consecuencia, no se concentran en conseguir resultados. Segundo, y esto es fundamental, sobre todo para mí, personalmente, tenemos que instituir un sistema de concentrarnos en conseguir resultados que nos permita permanecer fuera de la caja mucho más tiempo: una forma nueva de pensar, de medir, de informar, de trabajar. Porque, en cuanto estemos fuera de la caja (le aseguré), podemos hacer muchas cosas por ayudar a los demás a permanecer fuera mientras avanzamos. Tenemos que institucionalizar un sistema así en Zagrum."

»"¿Tienes alguna idea acerca de eso?", me preguntó.

»"Sí, unas pocas, pero necesito tu ayuda, Kate. Juntos podremos encontrar la mejor forma de hacerlo. Nadie que yo conozca podría hacerlo tan bien como tú."

»Ella se quedó allí sentada, pensativa.

»"No estoy segura (dijo finalmente). Voy a tener que pensármelo. ¿Puedo llamarte?"

»"Desde luego. Esperaré tu llamada junto al teléfono."

24
Otra oportunidad

—*C*omo bien puede imaginar —siguió diciendo Lou—, me llamó. Me dio una segunda oportunidad. Y la empresa que usted ha admirado durante todos estos años ha sido el resultado de esa segunda oportunidad.

»Cometimos muchos errores a medida que reiniciábamos juntos el trabajo. Lo único que hicimos realmente bien desde el principio fue transmitir a nuestra gente las ideas que usted ha aprendido en estos dos últimos días. No conocíamos necesariamente todas las implicaciones para el personal y el trabajo, así que al principio preferimos mantenernos en el nivel de las ideas generales. Pero ¿sabe una cosa? Aquello supuso una enorme diferencia. Simplemente lo que ha hecho Bud por usted durante estos dos últimos días, sólo eso, cuando lo aprende un grupo inmerso en una empresa común, se produce un efecto poderoso y duradero. Lo sabemos porque hemos medido los resultados a lo largo del tiempo.

»Pero durante estos veintitantos años hemos progresado mucho en la aplicación específica del material al mundo de la empresa. A medida que nos encontrábamos cada vez más fuera de la caja, como empresa, pudimos identificar y desarrollar un plan específico de acción que reduce al mínimo la autotraición básica en el puesto de trabajo. Ya desde el principio, cuando la gente suele estar todavía fuera de la caja con respecto a sus compañeros de trabajo y a la empresa, le presentamos y explicamos esta forma de trabajar juntos.

Lou hizo una pausa y Bud intervino.

—Nuestros esfuerzos se desarrollan ahora en tres fases —dijo—. Entre ayer y hoy ha iniciado usted lo que consideramos como el currículum de la primera fase. Eso era lo único de lo que disponíamos al principio y eso, por sí solo, ya produjo un tremendo impacto. Constituye el fundamento de todo lo que viene después. Es lo que nos permite alcanzar los resultados que conseguimos aquí. Nuestro trabajo en la segunda y tercera fases se fundamentará en lo que hemos tratado hasta ahora y le introducirá en una forma concreta y sistemática de concentrarse y conseguir resultados, un «sistema de resultados» que reduce la autotraición en el trabajo y eleva al máximo los resultados netos, haciéndolo, además, de una forma que reduce mucho los problemas organizativos comunes de la gente. Pero usted todavía no está del todo preparado para la segunda fase.

—¿No lo estoy?

—No. Aunque ahora comprende el funcionamiento fundamental de la autotraición, todavía no comprende del todo hasta qué punto se encuentra inmerso en ella. Aún no tiene conciencia de hasta qué punto no ha logrado concentrarse en los resultados.

Noté cómo se me empezaba a abrir la boca de asombro, y en ese momento me di cuenta de que no había experimentado aquella sensación defensiva desde la mañana anterior. Aquella idea pareció acudir en mi rescate y me permitió regresar de nuevo a una actitud abierta.

—Pero en ese sentido no es usted diferente a ningún otro —siguió diciendo Bud con una cálida sonrisa—. Pronto lo verá. En realidad, tengo un material que quiero que estudie con atención y me gustaría reunirme de nuevo con usted dentro de una semana. En esa reunión emplearemos aproximadamente una hora.

—Está bien, la esperaré con impaciencia —le dije.

—Entonces empezará el verdadero trabajo —añadió Bud—. Tendrá que revisar su forma de trabajar, aprender a medir cosas que no sabía que necesitaran medición, y ayudar e informar a personas de modos que nunca imaginó posibles. Como su director, le ayudaré a hacer todo eso. Y usted, como director, aprenderá a ayudar a su gente a hacer lo mismo.

Bud se levantó.

—El conjunto de todo esto es lo que convierte a Zagrum en lo que es, Tom. Nos alegra que forme usted parte de ello. Y a propósito, además de sus lecturas, le voy a poner unos deberes para hacer en casa.

—Está bien —asentí, preguntándome de qué se trataría.

—Quiero que piense en su trabajo con Chuck Staehli.

—¿Staehli? —pregunté, sorprendido.

—Sí. Quiero que piense si durante el tiempo que trabajó con él se concentró realmente en conseguir resultados. Quiero que considere si se mostró usted abierto o cerrado a la corrección, si realizó esfuerzos activos por aprender, y si enseñó con entusiasmo a los demás cuando pudo haberlo hecho, si se consideró plenamente responsable en su trabajo, si aceptó o desvió la responsabilidad cuando las cosas salieron mal, si avanzó rápidamente hacia las soluciones en lugar de encontrar un valor perverso en los problemas, si se ganó, en fin, la confianza de quienes le rodeaban, incluido Chuck Staehli.

»Y mientras reflexiona sobre todo eso, quiero que tenga continuamente en cuenta las ideas que hemos expuesto aquí, aunque quisiera que lo hiciera de una forma concreta. —Bud extrajo algo de su maletín—. Un poco de conocimiento puede ser algo peligroso, Tom. Puede utilizar este material para culpabilizar, como pudiera hacer con cualquier otra cosa. El simple hecho de conocer el material no le hará salir de la caja. Eso es algo que sólo se consigue viviéndolo, y no lo estaremos viviendo si lo utilizamos para diagnosticar a los demás. Lo vivimos cuando lo usamos para aprender cómo podemos ser más útiles para los demás, incluso para personas como Chuck Staehli.

»Aquí hay algunas cosas que tener en cuenta mientras trata de hacer lo que le acabo de pedir —dijo, entregándome una cartulina.

La examiné y esto era lo que decía:

Conocer el material:
☐ La autotraición conduce al autoengaño y a «la caja».
☐ Cuando se está en la caja, no se puede concentrar en los resultados.
☐ Su influencia y éxito dependerá de estar fuera de la caja.
☐ Se sale de la caja cuando deja de resistirse a otras personas.

Vivir el material:
☐ No intente ser perfecto. Trate de ser mejor.
☐ No utilice el vocabulario («la caja» y todo lo demás) con personas que no lo conozcan. Utilice los principios en su propia vida.
☐ No busque las cajas de los demás. Busque la propia.
☐ No acuse a los demás de estar dentro de la caja. Procure estar usted mismo fuera de la suya.
☐ No abandone cuando descubra que ha estado dentro de la caja. Siga intentándolo.
☐ No niegue haber estado en la caja cuando haya estado. Pida disculpas y siga adelante, tratando de ser más útil para los demás en el futuro.
☐ No se concentre en lo que hacen mal los demás. Concéntrese en lo que pueda usted hacer por ayudarles.
☐ No se preocupe por averiguar si los demás le están ayudando. Preocúpese por asegurarse de que ayuda a los demás.

—Está bien, Bud. Esto me será útil. Gracias —le dije, guardando la cartulina en mi maletín.

—Desde luego —asintió Bud—. Y espero verle de nuevo la semana que viene.

Asentí con un gesto, me levanté y me volví para darle las gracias a Lou.

—Antes de que se marche, Tom —me dijo Lou—, quisiera compartir una cosa más con usted.

—Por favor —le dije.

—Mi hijo, Cory..., ¿lo recuerda?

—Sí.

—Tres meses después de que Carol y yo lo viéramos marcharse, subimos a aquel mismo autobús hasta la zona remota que había sido el hogar de Cory durante aquellos meses. Acudimos a reunirnos con él, a convivir unos pocos días con él, antes de llevarlo de regreso a casa. Creo que nunca me sentí tan nervioso como entonces.

»Le había escrito con frecuencia durante las últimas semanas. Los líderes del programa entregaban la correspondencia a los chicos cada martes. Yo había vertido mi alma en aquellas cartas y, lentamente, como un potrillo que da sus primeros e inciertos pasos al cruzar una corriente, él también se me empezó a abrir.

»A través de aquellas cartas descubrí a un muchacho al que no había conocido. Estaba lleno de preguntas y percepciones. Me maravillé ante la profundidad y los sentimientos de su corazón. Pero, sobre todo, su prosa transmitía una paz que tuvo el efecto de calmar el corazón de un padre que temía haberse alejado de su hijo. Cada carta enviada y cada carta recibida fue una fuente de curación.

»Mientras recorríamos los últimos kilómetros hasta el lugar de reunión, me sentí abrumado por lo que había estado a punto de suceder: un padre y un hijo amargamente separados que apenas se conocían el uno al otro. Cuando estábamos a punto de declararnos la guerra, una guerra cuyos efectos podrían haberse hecho sentir durante generaciones, fuimos salvados por un milagro.

»Al superar la última y polvorienta colina, pude ver a unos cuatrocientos metros de distancia al grupo de muchachos más sucios y desharrapados que haya visto jamás: prendas de ropa gastadas y desgarradas, barbas descuidadas, pelambreras de tres meses. Pero de entre el grupo salió corriendo un muchacho solitario, cuya delgada figura reconocí pese a la suciedad.

»"¡Pare el autobús! ¡Pare!", le grité al conductor.

»Y también salí corriendo al encuentro de mi hijo.

»Me alcanzó en un instante y nos fundimos en un abrazo, con lágrimas que abrían surcos por entre el polvo de su cara. Y, a pesar de los sollozos, le oí decir: "Nunca más te fallaré, papá. Nunca más te fallaré".

Lou guardó silencio, casi atragantado por la emoción del recuerdo.

—Que sintiera eso por mí —siguió diciendo, más lentamente—, precisamente por mí, la persona que le había fallado a él, enterneció mi corazón.

»"Y yo tampoco te fallaré nunca más, hijo mío", le dije.

Lou guardó silencio, alejándose poco a poco de su recuerdo, y me miró con sus ojos benevolentes.

—Tom —me dijo, poniendo las manos sobre mis hombros—, lo que separa a los padres de los hijos, a los maridos de las esposas, a los vecinos de sus vecinos, es lo mismo que también separa a unos compañeros de otros en el trabajo. Las empresas fracasan por la misma razón que fracasan las familias. ¿Por qué habríamos de sorprendernos de que fuera así? Después de todo, esos compañeros a los que me resisto también son padres, madres, hijos, hijas, hermanos, hermanas.

»Una familia, una empresa… son organizaciones de *personas*. Eso es lo que sabemos y vivimos en Zagrum.

»Sólo recuerde una cosa —añadió—. No conocemos a la persona con quien trabajamos y vivimos, sea Bud, Kate, su esposa, su hijo e incluso alguien como Chuck Staehli, mientras no hayamos abandonado la caja para reunirnos con ella.

187

Sobre el Instituto Arbinger

«*A*rbinger» es la antigua grafía francesa de la palabra «harbinger». Significa «uno que indica o prefigura lo que ha de venir; un precursor». Arbinger es un precursor, un «harbinger» del cambio.

El trabajo de cambio que se ha presentado en este libro y que se desarrolla en el Instituto Arbinger, surge a partir del núcleo de las ciencias humanas. Dirigido por el filósofo Terry Warner, un equipo de eruditos ha progresado innovadoramente en la resolución del antiguo problema del autoengaño, o de lo que originalmente se llamó «resistencia». El problema es el siguiente: ¿cómo puede la gente simultáneamente (1) crear sus propios problemas, (2) ser incapaz de darse cuenta de que está creando sus propios problemas y, sin embargo, (3) resistirse a cualquier intento que se haga por ayudarles a dejar de crear esos problemas?

Tal como explica este libro, este fenómeno se encuentra en el núcleo de muchos fallos organizativos. Esa es la razón por la que muchos problemas organizativos parecen inabordables, porque en su núcleo son autoengaños y se resisten a la solución.

Arbinger se fundó para convertir el importante trabajo del equipo sobre el autoengaño y su solución en efectos prácticos para los individuos, las familias y las organizaciones de todo el mundo. La concentración de Arbinger en las organizaciones se inició cuando un conocido asesor de dirección le pidió ayuda con uno de sus clientes. Como consecuencia del trabajo de Arbinger, aquella empresa, que había ido languideciendo en su rendimiento, se convirtió en líder en beneficios de la industria, duplicando y triplicando finalmente los beneficios sobre inversiones de sus competidores más cercanos. A partir de la fama que empezó a difundirse tras aquella experiencia, Arbinger empezó a concentrarse en las implicaciones y aplicaciones organizativas del problema del autoengaño y su solución.

En la actualidad, Arbinger es un consorcio empresarial y académico de formación y asesoramiento de dirección que incluye a personas formadas en el ámbito de la empresa, el derecho, la economía, la filosofía, la familia, la educación y la psicología. Juntos, los miembros de Arbinger aplican sus energías a ayudar a las organizaciones a resolver los problemas de las personas y a incrementar los resultados netos. Y lo hacen así ayudando a los clientes a poner en práctica el Sistema de Resultados Arbinger en Tres Fases™. La primera fase de ese sistema es la que se ha presentado en este libro.

Los clientes de Arbinger proceden de una amplia variedad de industrias, incluidas telecomunicaciones, aeroespacial, energía, tecnología de las computadoras, finanzas, banca, siderurgia, fabricación de automóviles, ventas al por menor, atención sanitaria, educación, correcciones, propaganda y publicidad.

Los ejecutivos y otros líderes de estas empresas tienen en muy alta consideración los productos y servicios de Arbinger. A continuación se incluyen algunas declaraciones representativas incluidas en revisiones anónimas durante y después de la puesta en práctica del Sistema de Resultados Arbinger: «La claridad y el poder del trabajo de Arbinger es incomparable. Asombroso». «Es el sistema más global y funcional que he visto nunca.» «El sistema Arbinger es una magnífica herramienta. No puede compararse con ningún otro programa en el que haya participado.» Un director ejecutivo de una empresa incluida en Forbes 40, que puso en práctica el programa de Arbinger, dijo: «Durante los últimos quince años he participado en trabajo de "esfuerzo de cambio", tanto a nivel nacional como en mi empresa. Las enseñanzas de Arbinger constituyen la innovación más importante que he visto durante todo ese tiempo. Se encuentra en la vanguardia misma de la teoría y la práctica de la dirección».

Arbinger está dirigida por los directores ejecutivos Duane Boyce, Jim Ferrell y Paul Smith. Para más información sobre publicaciones, productos y servicios de Arbinger, visiten www.arbinger.com

Instituto Arbinger
www.arbinger.com
800-307-9415